Le nouveau traité des caresses

DR GÉRARD LELEU

Le nouveau traité des caresses

*Collection dirigée
par Ahmed Djouder*

« Et votre corps est la harpe de votre âme.
Il vous appartient d'en tirer musique douce
ou sons confus. »

Khalil GIBRAN
Le Prophète, Éditions du Seuil

« Je suis seulement l'ouvreur de fenêtres,
Le vent entrera après tout seul. »

Jean GIONO

« Autant dire que leur âme est à fleur de peau ;
Ou que l'amour ne distingue pas
l'âme du corps. »

Jacqueline KELEN
Propositions d'amour, Éditions Anne Carrière

INTRODUCTION

Pourquoi
un Nouveau Traité des caresses ?

Le succès du premier *Traité* ne se départit pas, et il continue de réjouir les amoureux. Notre peau aurait-elle changé ? Ou bien nos mains ? Non point. Il y a des dizaines de milliers d'années – bien avant Madame et Monsieur Cro-Magnon, qui auraient aujourd'hui quarante mille ans passés – que notre peau déjà libérée de ses poils est d'une exquise sensibilité, d'une exquise sensualité, et que nos mains sont des chefs-d'œuvre de délicatesse et d'habileté.

Alors, est-ce moi qui désire présenter ma nouvelle collection de caresses et de baisers à ceux qui connaissent par cœur le premier *Traité* et l'ont usé jusques la reliure ? Pour dire vrai, ce n'est pas seulement pour broder d'autres gestes caressants que je reprends la plume : je voulais aussi vous confier tout ce que j'ai appris sur le sujet, depuis l'année 1983, et tout ce qui a changé.

Des milliers de témoignages m'ont confirmé à quel point l'importance du toucher et du contact « physique » entre les êtres était extraordinaire, tant pour la santé que pour l'équilibre psychique, la communication et le plaisir.

Les psychologues ont corroboré, par des observations cliniques, le rôle vital des contacts entre peaux. Les biologistes ont approfondi le rôle des neuro-hormones et des neurones du plaisir.

Ce qui a changé, c'est l'acquisition d'une totale liberté des deux sexes face à la sexualité. Et je me félicite d'avoir participé au mouvement de libération de l'épiderme, voire d'en être l'instigateur, et d'avoir ainsi contribué à débarrasser notre peau et nos mains de tant de tabous : « Jeux de mains, jeux de vilains », « Défense de toucher », « Défense de se toucher », etc. Ce qui a profité non seulement aux amoureux mais à tous les êtres, en contribuant à l'essor des diverses méthodes de massages.

En effet, alors qu'il n'existait, en France, qu'une seule praticienne quand j'ai voulu expérimenter pour moi-même « les massages californiens », dans le cadre de mes recherches sur le toucher, il existe aujourd'hui, dans toutes les régions, d'innombrables adeptes de moult méthodes de massages. C'était dans l'air, mais, sans doute, *Le Traité* (*Le Traité des caresses*, Éditions Flammarion et J'ai lu) a pu donner cette impulsion.

Je veux toutefois mettre en garde contre une évolution qui aurait tendance à faire des caresses et de tout geste sexuel des sortes d'exercices techniques. Il ne s'agit pas de « faire » la page 37 ou la page 240 du *Traité*, et moins encore d'appliquer, le livre d'une main, la page 123. J'ai écrit ce livre pour ensemencer les imaginaires, et non comme un mode d'emploi qui exposerait des plans et des techniques à apprendre par cœur et à appliquer à la lettre. L'érotisme, c'est ce qui reste quand on a tout oublié. Les caresses relèvent du sur-mesure, et non du prêt-à-jouir, de l'invention extemporanée. Elles sont pures poésies, élaborées à même la peau de l'être choisi, adoré.

Sinon, à l'extrême, on ferait de la caresse une activité mécanique entre une main instrument et un corps objet. Or une caresse ne peut donner son plein de contentement, son optimum de volupté et d'euphorie sans un minimum de relation fait d'estime et d'affection partagée et un minimum d'esthétisme : « Il n'y a pas de péché, il n'y a que des fautes de goût. »

Cela dit, c'est aussi pour nourrir votre vocation au bonheur, votre besoin de tendresse, votre légitime goût pour la volupté, et pour donner encore plus de brillant et de souffle à vos corps à corps que je vous offre ce *Nouveau Traité des caresses*. Car il est possible d'inventer toujours de nouvelles caresses et de nouveaux baisers. Pendant six mille ans, l'Asie ancienne n'a cessé de créer des « manuels de la chambre à coucher », tels que des *Kâma Sutra*, des *Ananga ranga*, qui décrivaient une infinité de gestes érotiques ce qui a assuré la stabilité des couples et une belle harmonie dans les relations amoureuses pendant des milliers d'années.

Il est vrai qu'avec une main, sa paume, ses dix doigts, ses dix ongles et une bouche, ses deux lèvres, sa langue, ses trente-deux dents, on peut inventer un nombre illimité de jeux tactiles.

Ce texte est différent de celui du premier *Traité des caresses*, qui reste une référence éternelle. Une nouvelle symphonie ne remplace pas la précédente.

Avant d'entrer dans le vif de la chair, voyons ce que nous apprend l'étonnante carrière du premier *Traité*.

PARTIE I

LA FABULEUSE HISTOIRE DU TRAITÉ

CHAPITRE 1

Naissance du Traité

Au cours de ma vie, j'ai toujours donné beaucoup d'importance au toucher. Mes enfants – des filles –, je les avais chéries jusqu'à l'adolescence. Mes amoureuses, j'adorais toute la surface de leur corps, des pieds à la tête. Mes patient(e)s, je les touchais et les palpais consciencieusement. Il faut dire qu'en ce temps-là, pourtant pas si lointain, le diagnostic se faisait encore par l'intermédiaire des sens du médecin – le toucher, l'ouïe et l'odorat. Rien qu'à la palpation et à l'auscultation, on pouvait déceler des centaines de signes et identifier des milliers de maladies.

De plus, j'avais l'impression que mes mains avaient un certain « pouvoir » – mais sans doute est-ce le cas de tout médecin attentionné. Le fait de poser ma main sur mes patients, sur leur bras, sur leur front, sur leur ventre semblait apaiser leurs angoisses, réduire leurs douleurs et recharger leur énergie.

Dans les années 1980, alors que j'étais installé comme psychothérapeute, une nouvelle science battait son plein, la sexologie, qui s'inscrivait dans les suites de la libération de la sexualité et de l'affranchissement de la femme. Mais elle me semblait limitée à « l'organique », voire à la mécanique du sexe, et ne parlait que de « positions », c'est-à-dire de la façon plus ou moins acrobatique d'ajuster les sexes, de la longueur du pénis, de la durée de l'érection, de la fréquence du coït et de l'indispensable orgasme (« sans lequel la femme n'est pas une vraie femme »), toutes choses fort importantes, certes, mais on oubliait que le corps humain ne se réduisait pas aux quelques centimètres carrés des zones sexuelles et que les êtres avaient aussi un visage, un cuir chevelu, un dos, un ventre, des pieds, c'est-à-dire plusieurs milliers de centimètres carrés – 18 000 centimètres carrés en moyenne – qui attendaient d'être précisément et délicieusement touchés et où des millions de récepteurs – 1 500 000 au moins – criaient famine.

Moi-même, dans ma propre vie, je n'aurais pu aller droit au sexe de ma compagne ou tolérer qu'elle se saisisse du mien sans autres formes d'approche. J'adorais donner et recevoir des caresses, j'adorais toucher la peau de mon amie et j'aspirais qu'elle me touche. Mes mains avaient un grand appétit de peau et ma peau un fort appétit de mains. Et le plaisir que me procurait le toucher était intense et profond jusqu'à l'euphorie. Il me semblait qu'il fallait sortir du ghetto des organes sexuels et étendre l'échange sexuel à toute la surface de la peau et ainsi accéder à la sensualité, c'est-à-dire à l'art de multiplier et de réaffirmer à l'infini les émotions érotiques.

Les confidences de mes ami(e)s, surtout de mes amies, et celles de mes patient(e)s, de mes patientes essentiellement, confirmaient mes réflexions.

De plus, pour moi, caresser ce n'était pas seulement procurer du bien-être et de la volupté, c'était aussi exprimer de la tendresse. Et ici aussi les confidences reçues confirmaient mon opinion. En effet, si les êtres se félicitaient du fait que la sexualité soit libérée, ils continuaient, pour la plupart, de prétendre que le plus important c'était la tendresse, que c'était ce qui leur manquait le plus, et que c'était la caresse qui l'exprimait le mieux. Ainsi, le toucher a lui aussi une dimension affective. C'est toujours ce que pensent les gens.

Un épisode de ma vie amoureuse allait me faire franchir un pas décisif dans mes réflexions sur la caresse. Elle était féminissime et j'en étais fou. Dès que je franchissais le seuil de sa maison, rien que son odeur de violette (le N° 5 de Chanel) me donnait le tournis. Aussi, quand sur le drap de satin l'heure sublime était venue de dénuder son corps, je ne cessais de l'adorer et de la caresser. Je lui offrais un chef-d'œuvre de caresses, redessinant et repolissant son corps, chaque courbe, chaque rondeur. Mais jamais elle ne tendait la main pour me rendre mes offrandes. Qu'importe, elle était si femme, elle était si belle que le simple fait de la toucher me comblait. Et puis il est aussi agréable et jouissif de donner que de recevoir.

Un jour, bloqué par un méchant lumbago, je lui suggérai de porter ses jolies mains sur mes lombes endolories afin de les soulager. « Je ne suis pas ta geisha », me répondit-elle, en ajoutant, « les femmes libérées ne caressent pas ». Ce qu'elle me confirma le soir même par téléphone : « J'ai appelé toutes mes amies, elles sont de mon avis, les femmes libérées ne caressent pas ! » À vrai dire, elle cachait ses blocages psychologiques sous l'étendard du féminisme. Mais sa répartie m'interpella : tout compte fait, n'accordais-je pas trop d'importance aux caresses ? J'ai donc approfondi mes « recherches » sur le thème.

Quelques jours plus tard, je tombai sur une mine d'or : le livre d'Ashley Montagu, *La Peau et le Toucher, un premier langage*, éditions du Seuil. Puis j'appris l'existence, à Paris, d'une femme qui pratiquait les massages « californiens », dits aussi d'Esalen ; je me suis rendu à un séminaire qu'elle organisait et que j'ai partagé avec d'autres « fous de peau ». Plus que jamais j'ai été convaincu que « la peau c'est ce qu'il y a de plus profond chez l'homme », comme l'a écrit Paul Valéry. À mon retour, j'ai rédigé une lettre à destination de mon amoureuse pour la convaincre de l'importance vitale des caresses.

Peu après, j'ai pensé que mes réflexions sur la peau pouvaient intéresser le public. La lettre est devenue *Le Traité des caresses*.

CHAPITRE 2

Une étonnante carrière

Je ne pouvais prévoir, lorsque fut publié *Le Traité des caresses*, il y aura bientôt trente ans, que des centaines de milliers de personnes, en France et à l'étranger, allaient l'accueillir avec autant d'enthousiasme.

Cela commença par les journalistes. Dans la semaine qui suivit la sortie du livre, il n'y eut de journaux, de magazines qui n'écrivirent à son propos, souvent en pleine page, quand ce ne fut pas plusieurs pages. Les radios ne furent pas en reste, jusqu'à lui consacrer une heure d'émission. À l'occasion d'interviews, j'eus le bonheur de rencontrer les grands journalistes de l'époque, dont certains règnent encore.

J'eus aussi la surprise d'être invité par quelques directrices ou directeurs d'hebdomadaires, en particulier féminins, des plus réputés. Ils ne désiraient pas m'interviewer, ils voulaient me dire leur enthousiasme. Je pense qu'ils voulaient aussi voir la tête de l'homme qui parlait d'une telle façon des caresses. Ils appréciaient, disaient-ils, qu'on puisse associer une parfaite exactitude biologique avec beaucoup de poésie et même de lyrisme. C'est cette précieuse alliance qui les avait séduits et qui ferait le succès du livre auprès du public, succès universel puisque le livre fut traduit dans sept langues. Ce style, je ne l'avais pas recherché, il est dans ma nature.

Trente ans après sa sortie, le livre est encore l'objet de nombreux articles, de nombreuses émissions de radio et d'interviews. S'y ajoutent maintenant les sites Internet. Bref, il n'est pas un jour où un journaliste ne m'interroge, et j'en suis toujours très touché.

Le public, informé par la presse et par le bouche à oreille, montre le même emballement et se met à m'écrire. Pendant plusieurs années, j'ai reçu plusieurs lettres chaque jour, et je continue d'en recevoir. J'en ai publié des extraits dans les éditions « revues et corrigées » du *Traité*.

Beaucoup de lettres commençaient par « votre livre a changé ma vie », ce qui pour un auteur est un bonheur total. Ce qui avait changé, ce n'était pas seulement la capacité et l'imaginaire érotique, c'était aussi la permission de faire les gestes et de les faire en se sentant beau : « Avant, je faisais les même choses et je me sentais laid(e), maintenant je trouve que tout est beau. »

M'ont aussi touché, ces lettres dans lesquelles les personnes écrivent que le *Traité* les avait réconciliées avec le toucher et qu'elles avaient redécouvert les pouvoirs de leurs mains envers leur conjoint, leurs vieux parents, d'autres proches, des voisins malades : pouvoir d'apaiser, d'exprimer et de communiquer de l'amour, de transférer de l'énergie.

M'a enfin beaucoup touché l'approbation que m'ont manifestée de nombreux chrétiens : des organisations de foyers chrétiens, des radios et des télévisions catholiques, sans oublier La Procure de Paris, qui osa accueillir *Le Traité* sur ses rayons, sans doute le seul livre d'érotisme qui y trouva une place. Enfin, je fus comblé quand un mystique proche de la hiérarchie conclut ainsi un entretien qu'il m'avait demandé de lui accorder : « Désormais, pour moi, faire l'amour, c'est faire Dieu ! »

Il était facile, me direz-vous, d'avoir un tel succès à l'époque. On sortait de plusieurs siècles de répression de la sexualité, et les gens encore ignorants, bloqués, culpabilisés attendaient d'être libérés et enseignés. Aujourd'hui les gens sont émancipés, ils savent tout et font tout ce qu'ils veulent, un *Nouveau Traité* n'a plus rien à leur apprendre.

Il est vrai que les gens sont libérés et qu'ils pratiquent une activité sexuelle sans limite, jusqu'à l'obsession pour certains. Mais ce n'est pas pour autant que tout le monde jouit d'un bel épanouissement sexuel. Dans une civilisation occidentale qui n'a pas de tradition d'érotisme sacré – contrairement à l'Orient –, on est vite à cours d'imagination et de sens à donner. Si l'on veut s'informer sur les sites Internet dédiés à la sexualité, on tombe le plus souvent sur des images pornographiques dénuées de beauté, et sans considération. Et si l'on décide de recourir aux sex-toys, on découvre vite leurs limites.

Aussi mon but n'est pas de libérer, mais plutôt d'offrir à l'activité sexuelle une forme esthétique – de l'inscrire dans la beauté, d'en faire un art – et de lui donner un sens : celui d'une relation privilégiée et celui d'une voie d'accès à des états de conscience supérieurs, ce qui du reste amplifie la volupté.

J'avais enfin pour dessein d'aider à la cohésion des couples. Multiplier et varier les caresses et les baisers, autrement dit les plaisirs et les dons, c'est favoriser l'attachement entre les êtres. C'est la monotonie qui entraîne l'usure. Déjà, le *Kâma Sutra* déclarait rechercher les mêmes buts : varier les échanges érotiques, c'était faire « comme si la femme était avec trente-six hommes différents et l'homme avec trente-six femmes différentes ».

PARTIE II

LA PEAU, SES PLAISIRS, SES DÉSIRS

CHAPITRE 1

Un tissu extraordinaire

La peau n'est pas une simple enveloppe qui emballe et protège notre corps, c'est aussi un tissu sensible, mieux, un organe sensoriel : c'est le siège d'un de nos cinq sens, le toucher. Il est le plus étendu en surface : 18 000 centimètres carrés chez l'adulte, 2 000 chez le bébé ; c'est le plus riche en récepteurs sensitifs : selon la zone, la peau en contient de 5 à 135 par centimètre carré, ce qui donne, pour l'ensemble du corps, un total de 1 500 000 capteurs.

Ceux-ci sont spécialisés : les uns sont sensibles aux contacts, d'autres au chaud et au froid, d'autres à la pression, d'autres à la douleur. On connaît aussi les capteurs spécialisés dans la volupté sexuelle : il s'agit des « corpuscules de Krause », qui sont situés dans les organes sexuels (le gland du clitoris et celui de la verge). On vient de découvrir (le professeur Yves Lamarre, de Suède) **les récepteurs sensibles au plaisir tactile**.

Quand l'un de ces capteurs est stimulé, il engendre un influx nerveux, électrique en réalité, qui, via les nerfs et la moelle, aboutit dans une zone du cerveau : le cortex pariétal, lequel va identifier la stimulation.

Mais d'autres zones cérébrales reçoivent également l'information, la zone limbique – située dans le méso-cerveau, ou cerveau des mammifères –, qui donne à l'information sa coloration affective : c'est agréable ou désagréable ; la zone hypothalamique – située dans l'archéo-cerveau, ou cerveau reptilien –, qui loge l'instinct sexuel, et où se déclenche le désir.

Revenons aux découvertes du professeur Lamarre : elles confirment l'importance des caresses. C'est grâce, en particulier, aux techniques d'imagerie médicale qu'il a pu progresser. Le point de départ de sa réflexion est une maladie neurologique où le sujet ressent bien l'agréabilité d'un toucher léger (caresse avec une plume), mais non le contact lui-même. Il y aurait donc des fibres nerveuses et un centre cérébral spécifique au toucher agréable ; hypothèse confirmée par l'imagerie médicale car, lorsqu'on provoque ce toucher, on voit s'activer une zone du cerveau différente de celle du contact.

La suite de ses expériences va préciser que les stimulations légères qui procurent des sensations douces et agréables sont véhiculées par des fibres nerveuses spécifiques différentes des fibres qui conduisent le tact objectif, le chaud, le froid et la douleur. Ces fibres sont fines, dépourvues de myéline, et à conduction lente. Elles aboutissent à une zone du cerveau – le cortex insulaire – différente de celle du tact objectif ; la première zone donne sa coloration plaisante au toucher, la seconde identifie le contact – sa direction, son intensité.

Dès sa naissance, un bébé pourrait ressentir l'agréable d'un toucher léger (une caresse) quelques semaines avant de pouvoir percevoir le contact lui-même et de le localiser. Si bien que la réalité du monde extérieur, en ce qui concerne le sens tactile, se fait par l'intermédiaire du plaisir que lui procurent les touchers légers. D'où l'importance capitale des caresses et des soins affectueux pour le nouveau-né (*Nature Neuroscience*, septembre 2002).

Contrairement à ce que l'on pense généralement, la peau n'est pas un sens grossier, et sa finesse mérite notre admiration autant que les sens dit « nobles » – la vue et l'ouïe. Elle est capable de détecter des poids de quelques milligrammes – deux milligrammes en ce qui concerne la pulpe des doigts, vingt milligrammes pour le dos – et capable de distinguer deux piqûres de pointes de compas séparées de un millimètre en ce qui concerne le bout de la langue, trois pour la pulpe des doigts, vingt pour le dos de la main, trente pour l'avant-bras, soixante pour le dos et la cuisse ; capable, enfin, de déceler des pauses de un millième de seconde quand on lui applique les vibrations d'un diapason. Hélène Keller, sourde et aveugle de naissance, était capable de reconnaître différentes symphonies d'après les vibrations du plancher sous ses pieds.

Au total, ce sont cinq cent mille fibres nerveuses qui partent de la peau vers la moelle et le cerveau. Bien entendu, c'est la peau des mains, et principalement celle de sa face antérieure, qui est la plus sensible de tout le corps. Sa sensibilité est extraordinaire, en témoignent la densité des récepteurs au centimètre carré (135) et les tests : elle décèle des poids de deux milligrammes et des pointes de compas séparées de trois millimètres. La preuve aussi : le nombre considérable de neurones qui partent des mains et vont se projeter sur la surface du cortex cérébral dédiée au toucher – le cortex pariétal : l'aire cérébrale de projection de la sensibilité de la main occupe le tiers de la surface totale du cortex tactile, un autre tiers étant occupé par l'aire de projection de la bouche, le dernier tiers correspondant à tout le reste du corps.

Ainsi la main, d'une part, la bouche, d'autre part, envoient au cerveau autant de fibres sensitives que l'ensemble du corps – les membres supérieurs, le tronc recto verso, les membres inférieurs et la tête.

Si la bouche, et spécialement les lèvres, ont une sensibilité tactile aussi importante que celle des mains, c'est qu'elles sont pour le nouveau-né une zone vitale : celle par où entre la nourriture. De plus, c'est une région par laquelle il découvre le monde. C'est pourquoi les enfants mettent tout à la bouche. Enfin, la bouche est le siège de la pulsion orale, c'est-à-dire le lieu où se manifeste la faim, dont la satisfaction engendre un des plus grand plaisirs qui soit : manger. C'est dire que le baiser est une activité naturelle et naturellement aussi puissante que la caresse.

Pour remplir ces fonctions, la bouche est munie, outre d'une grande sensibilité, d'une très remarquable et subtile motilité. Elle dispose d'un nombre impressionnant de muscles fins et déliés qui lui permettent toutes sortes de mouvements : préhension, pression, traction, aspiration, succion, etc.

Si je parle de la bouche, dans ce chapitre consacré à la peau, c'est que je considère qu'elle est recouverte d'une sorte de peau qui, en s'invaginant, est devenue muqueuse. C'est-à-dire un revêtement plus fin, plus vascularisé et plus humide. Il en sera de même de tous les orifices : la vulve, le vagin, l'anus.

À quoi ça sert, le toucher ? Comme toutes les sensibilités – visuelle, acoustique, olfactive, etc. –, la sensibilité cutanée a un rôle « cognitif », c'est-à-dire qu'elle permet de prendre connaissance du monde extérieur, de ses qualités – tactile, thermique, etc. –, de la nature des objets qui s'y trouvent : dangereux ou bénéfiques, et de l'identité des êtres qui y sont : hostiles ou bienfaisants.

Ce rôle est vital mais il n'est pas le seul, la peau sert aussi à communiquer et, enfin, c'est l'objet de ce traité, elle sert à nous donner du plaisir de différentes qualités quand elle est stimulée selon certaines modalités qui s'appellent caresses ou baisers.

CHAPITRE 2

Peau de désir, désir de peau

Le contact de notre main, et également de toute partie de notre corps, avec la peau de l'aimé(e) nous remplit d'admiration, d'amour et de désir. Cette peau est tellement douce au toucher que rien ne peut lui être comparable, pas même les étoffes les plus précieuses – le satin, le velours, la soie –, pas même les fruits les plus veloutés – la pêche, l'abricot. Et elle est d'une finesse extrême, en particulier au niveau des seins ou à l'intérieur des cuisses. En plus, elle épouse des formes émouvantes, principalement des courbes, soit en plein, comme au niveau des fesses, soit en creux, comme au niveau de la taille. Enfin elle est réactive et, sous nos doigts, on la sent vivre et réagir, vibrer, tressaillir.

Mais ce qu'il y a de plus fabuleux, avec la peau, c'est qu'elle est capable de susciter le désir sans même qu'on ait à la voir ou à la toucher : elle émet des arômes qui ont le pouvoir de nous exciter : **les phéromones**.

Ces phéromones sont des molécules odoriférantes volatiles provenant de sécrétions de certaines glandes cutanées (glandes sudoripares, sébacées, apocrines).

Plusieurs zones du corps en sont particulièrement généreuses : le creux axillaire, la zone vulvaire, le pénis et la marge de l'anus.

Ces phéromones sont appelées les « messagers du désir » car elles stimulent la libido du vis-à-vis et même l'excite jusqu'à l'ivresse. En effet, ayant atteint les narines, elles titillent les récepteurs olfactifs de la muqueuse nasale, lesquels envoient aussitôt des influx au « rhinencéphale », une zone du cerveau dite aussi « centre limbique ». Or cette zone n'est pas seulement celle qui enregistre les stimulations olfactives, elle joue également un rôle dans l'instinct sexuel. Aussi ne vous étonnez pas qu'une odeur corporelle puisse déclencher en vous une poussée de désir.

Mais il y a mieux : cette odeur peut aussi déclencher en vous une émotion, le centre limbique étant aussi le siège des émotions. D'ailleurs, vous l'aviez remarqué, une odeur n'est jamais neutre, elle a toujours une connotation émotive : elle est agréable ou désagréable, sympathique ou pénible, elle rend joyeux ou triste. Peut-être cela relève-t-il de sa nature propre, peut-être cela est-il lié aux souvenirs qu'elle éveille, qui apparaissent sous forme d'images ou simplement d'impressions, un épisode heureux ou malheureux de notre vie ayant été associé à cette odeur. Du reste, une partie des centres limbiques – « l'amygdale » – est spécialisée dans la mémorisation de cette association. C'est elle qui explique la fameuse anecdote de la madeleine de Proust.

Ainsi, notre peau, rien que par ses arômes, a le fabuleux pouvoir d'agir sur ceux qui nous approchent. Si pour le désir sexuel c'est évident, même si on n'en est pas toujours conscient, il est probable que les fragrances jouent aussi un rôle dans les attirances et les répulsions entre les êtres, comme le prouvent certaines expressions « Elle/il m'attire, c'est physique », ou inversement « Je ne peux pas la/le sentir. » À mon avis, dans le « coup de foudre » ou le « tomber amoureux », les odeurs jouent un grand rôle. Non seulement en suscitant un désir basique, mais aussi en éveillant la mémoire olfactive : la fragrance que nous percevons à l'instant fait remonter à notre conscience actuelle une fragrance semblable qu'émettait dans le passé une personne aimée ou désirée – notre mère, notre père, un(e) cousin(e), un(e) ami(e), un(e) voisin(e) –, alors surgit en nous le souvenir d'un visage, d'une scène, tandis qu'une bouffée d'émotion nous envahit : désir, amour, joie, voire ivresse, ou au contraire nostalgie, tristesse. Il arrive que seule l'émotion nous saisisse mais pas l'image.

Cependant, en êtres civilisés et raffinés que nous sommes, nous n'admettons pas facilement que les odeurs corporelles puissent avoir un tel pouvoir sur nous. Les fragrances, c'est bon pour les animaux dont la truffe, le mufle et autres museaux traînent encore au ras du sol. Nous, *homo* deux fois *sapiens*, il y a passé quatre millions d'années que nous nous sommes redressés sur nos pattes arrière, hissant nos narines à distance de la terre. Nous avons pris de la hauteur, pour un peu nous serions de purs esprits. Et nos femmes, divines qu'elles sont, ne peuvent être qu'inodores.

Il n'est jamais bon de mépriser sa part animale, elle est source de beaucoup de plaisirs. Toutefois, en matière de perception des odeurs, ne regrettons pas de ne plus avoir les mêmes performances que nos amies les bêtes. Est-ce que vraiment vous souhaiteriez posséder l'olfaction d'un bombyx, lequel sent une femelle à cinq kilomètres, ou celle d'un chien, qui perçoit une partenaire à deux kilomètres ? Avez-vous songé dans quel état de désordre et d'épuisement vous vivriez ? Et combien nos vies, déjà pas faciles, seraient compliquées ?

Du reste vous l'aviez senti – si j'ose dire –, puisque vous vous livrez à des astiquages intempestifs et quasi obsessionnels sous la douche et que vous usez à l'excès de déodorants. Il s'agit d'être propre comme un sou neuf, et inodore jusqu'à en être sans saveur. En vérité, de quoi avez-vous peur ? De la saleté ou du désir ?

Ayant passé une grande partie de ma vie à réfléchir à l'effet des odeurs corporelles, et spécialement à celles des zones intimes, permettez-moi de vous éclairer. Il faut distinguer l'absence d'odeur, les odeurs fraîches, et les odeurs dépassées.

L'absence d'odeur se produit dans les cas où la toilette est récente, entre une minute et deux heures avant la rencontre. Inodore, le corps a perdu la moitié de son pouvoir érogène. C'est comme un mets sans fumet : il n'est pas appétissant, et sans appétit pas de salive…

Les odeurs fraîches existent quand la toilette remonte à six ou huit heures. Elles sont agréables et même excitantes, voire enivrantes, on y retrouve les arômes que nous offre par ailleurs la nature : le monde végétal (le santal, les épices, etc.) aussi bien que le monde animal (le musc, les poissons, etc.).

Les odeurs dépassées, et donc mauvaises, apparaissent lorsque la toilette remonte à plus de six voire huit heures. En effet, au-delà, les substances organiques contenues dans les diverses sécrétions (sueurs, lubrification, etc.) sont dégradées par des microbes saprophytes de la peau. Or les odeurs désagréables et *a fortiori* nauséabondes sont répulsives, c'est-à-dire qu'elles dissuadent le désir.

Ils le savaient bien, les religieux, et en particulier les nonnes, qui ne se lavaient pas afin de décourager la libido des mâles. De là à croire que les effluves qu'elles dégageaient constituaient « l'odeur de sainteté » serait une grave erreur théologique.

Toutefois, les odeurs dépassées n'ont pas été considérées comme répulsives par tout le monde. On sait que notre bon roi Henri IV, dit « le vert galant », en était friand, lui qui écrivit à sa maîtresse, dont il était fou, Gabrielle d'Estrées : « De grâce ma mie ne vous lavez pas ! » Pour lui, les pestilences avaient des vertus aphrodisiaques ; c'est pourquoi lui-même ne se lavait jamais, à part tremper ses mains dans l'eau ; aussi de ses pieds, en particulier, émanaient de forts remugles. Si bien que sa maîtresse, qui ne partageait pas ses goûts, appréhendait comme une épreuve les premières rencontres avec le roi. D'autant que celui-ci, en bon Béarnais, aimait croquer de l'ail et des oignons.

Si les odeurs cutanées ont le pouvoir de susciter des émotions entre les êtres et, plus particulièrement, du désir et de l'amour entre la femme et l'homme, on peut se demander s'il en est de même entre la mère et son bébé.

De fait, la peau de l'enfant émet de bonnes odeurs que la mère hume comme elle le ferait d'une miche de bon pain ; mais son corps en émet aussi de mauvaises, que maman accepte allégrement. Inversement, la mère émet toutes sortes d'arômes qu'apprécie le bébé, qui lui permettent de l'identifier et qui le rassurent : ceux de son haleine, de ses cheveux, de ses seins, de son creux axillaire quand il est blotti dans ses bras, sensations d'autant plus heureuses qu'elles sont renforcées par la déglutition du lait maternel ou non. Et ceux de son pubis quand il se met à marcher et vit « dans ses jupes ».

Très vite s'installe une association entre les odeurs de la mère, la sécurité et le bonheur. C'est pourquoi, si l'on présente à un bébé des pulls portés par différentes femmes, il montre par des mimiques de satisfaction qu'il est capable de repérer celui qui est porté par sa mère. Et si, dans les premiers jours de la rentrée à l'école maternelle, on remet à l'enfant un vêtement porté par sa mère, il sera moins anxieux.

Revenant à la relation entre la femme et l'homme, on peut penser que beaucoup d'histoires d'amour ont leur source dans certains arômes qui évoquent les fragrances maternelles.

CHAPITRE 3

Le plaisir : un phénomène vital

Le plaisir des caresses naît de la rencontre d'une partie plus ou moins étendue de notre corps – la main, la bouche, le sexe, le plus souvent – avec une partie également plus ou moins étendue du corps d'un autre être, rencontre qui stimule les récepteurs sensitifs – tactiles, thermiques, hédoniques, voire voluptueux, qui s'y trouvent. Encore faut-il que ce contact présente certaines caractéristiques d'intensité, de fréquence, de rythme.

Les récepteurs stimulés émettent des influx qui gagnent les centres cérébraux du plaisir, situés à l'étage moyen : le centre limbique et l'hypothalamus. Ceux-ci sécrètent alors les substances du plaisir : des neuro-hormones, telles les **endomorphines** et l'**ocytocine** pour ce qui concerne le centre limbique, des neuro-transmetteurs, comme la dopamine pour l'hypothalamus et la sérotonine pour le centre limbique.

Les **endomorphines** sont sécrétées quel que soit le type de plaisir. Une caresse, un coït, une mousse au chocolat, un footing, une danse endiablée, une symphonie, une prière fervente, une contemplation mystique produisent également une sécrétion d'endomorphines. Ainsi, celles-ci sont à la base d'états aussi divers que le bonheur des amants, le second souffle du sportif, l'euphorie du créateur ou l'extase du mystique. Bien entendu, du point de vue de la conscience, le vécu est différent quant à l'intensité – elle est plus ou moins forte et peut culminer jusqu'à l'euphorie, jusqu'à l'orgasme – et quant à la qualité – il y a des plaisirs qui élèvent la conscience à un degré supérieur, jusqu'à la spiritualité.

Les endomorphines ont tellement d'heureux effets que, si un savant les avait inventées en ce siècle, il aurait eu plusieurs prix Nobel. Non seulement elles produisent le plaisir, mais elles sont également anxiolytiques (certains hommes se masturbent avant un rendez-vous important et certaines adolescentes se donnent des orgasmes en serrant les cuisses au cours des écrits du Bac). Elles sont aussi anti-stress (beaucoup de personnes font l'amour pour compenser ce qu'elles ont enduré le jour). Elles sont encore anti-agressivité, elles rendent l'homme doux (c'est pourquoi on interdisait aux hommes de faire l'amour la veille, voire la semaine, qui précédait les batailles ou les grandes chasses). Et on dit que la France a perdu le mondial de foot au Japon, en 2002, parce qu'on avait autorisé les joueurs à séjourner avec leur épouse). Les endomorphines sont en plus anti-douleur (certaines femmes se masturbent en cas de règles douloureuses ; une expérience a montré que la résistance à une douleur provoqué par pincement de la peau augmentait considérablement si le sujet femme ou homme se masturbait). Enfin, les endomorphines sont psycho-stimulantes, c'est-à-dire capables d'accroître l'imaginaire et la créativité.

Les endomorphines ont la même formule chimique que la morphine et les mêmes cibles dans le cerveau, d'où leur nom.

L'**ocytocine**, autre neuro-hormone, est dite « hormone de l'attachement » car elle crée entre les êtres l'envie de demeurer ensemble. Elle apparaît non seulement au cours de l'orgasme, mais aussi à l'occasion de tous les plaisirs quotidiens que s'échangent les amants, tels les caresses et les baisers. Alors que les endomorphines sont déversées en quantités énormes mais de façon brève au cours de l'orgasme, l'ocytocine, elle, nous imprègne au long des jours, pour peu que nous échangions des gestes tendres et agréables.

LA FONCTION PLAISIR

Plus largement, le phénomène « plaisir » constitue une véritable fonction, comme le sont la fonction circulatoire, la fonction respiratoire, etc., et s'appuie sur des éléments anatomiques complexes (des capteurs, des nerfs, des centres cérébraux) ; il a sa propre physiologie, complexe également. Ce qui prouve son importance car la nature n'aurait pas créé un tel ensemble s'il n'était capital.

Mais à quoi sert le plaisir ? Je passerai sur son rôle de récompense des apprentissages pour en venir à son rôle capital que j'appelle aussi « existentiel » ou « métaphysique », grands mots pour désigner son utilité quotidienne : le plaisir permet à l'homme de supporter sa dure condition, à savoir les contraintes de toutes sortes, les difficultés, les inquiétudes, les peurs, les angoisses, les douleurs, les maladies, sans oublier la perspective d'une mort certaine plus ou moins lointaine. L'existence humaine serait un long calvaire si le plaisir, ou la perspective d'un plaisir, ne venait l'adoucir régulièrement. Et qu'importe le flacon, pourvu qu'on ait l'ivresse : chocolat, sexe, arts, prières, etc., font l'affaire. Autrement dit, l'humain, pour supporter la vie, c'est-à-dire pour survivre, passe son temps à se masturber les centres du plaisir : les centres limbiques et l'hypothalamus.

LES LIMITES DU PLAISIR

Y a-t-il des limites à l'exercice du plaisir ? C'est en tout cas mon avis. La première limite est que le plaisir ne doit pas nous faire perdre la maîtrise de nos comportements et de notre destin, nous pousser à des actes que nous n'avons pas choisis délibérément, en un mot se transformer en addiction. La seconde limite, c'est qu'il ne doit pas nous amener à forcer le refus de l'autre ; hélas, nous sommes parfois tellement « tordus », voire quelque peu sadiques, que le refus peut constituer un stimulant ; et que pour arriver à nos fins on use du chantage : « Si tu m'aimes », dit un garçon à une ado, « tu dois

accepter de me faire une fellation ou que je te sodo-
mise », ou « Si tu n'acceptes pas, je demanderai à
une autre copine. » La troisième, c'est qu'il ne doit
pas attenter à notre sens de la beauté ; le plaisir n'est
plus un bien quand il engendre des laideurs (vocifé-
rations, odeurs nauséabondes, vomissements, etc.) ;
inversement, c'est une erreur d'accuser de laideur
un geste naturel, comme c'est le cas de ceux qui
disent à un enfant qui se masturbe : « C'est pas
beau, c'est laid. » Décidemment, il n'y a pas de
péché, il n'y a que des fautes de goût.

LE PLAISIR DES CARESSES

Le plaisir qu'offrent les caresses est-il valable ? Remarquable ? Si les caresses portent sur les sites sexuels
– clitoris, vagin, pénis, ou sur les sites « para-sexuels » –
anus, prostate –, le plaisir est extrêmement vif et peut
aboutir à l'orgasme.

Si les caresses portent sur la peau « ordinaire », le
plaisir est certes moins aigu mais d'une qualité qui
le rend intéressant, parfois même plus intéressant. Il
est doux et c'est cette douceur qui est appréciée. Ce
qui ne l'empêche pas d'être parfois intense et profond. Il s'accompagne de détente, voire d'euphorie.
Il peut se prolonger sans limite et sans fatigue, et
même, il permet de recharger l'énergie.

N'oublions pas que la peau comprend également
des zones où le plaisir est plus voluptueux, voire
orgasmique : le lobule des oreilles et les mamelons,
entre autres.

De tous les bienfaits que nous apportent les plaisirs des caresses, deux sont remarquables pour notre vie quotidienne : d'une part, le plaisir nous offre une bonne détente, qui pourrait nous faire économiser les médicaments psychotropes (tranquillisants, antidépresseurs, somnifères, etc.) ; d'autre part, ce plaisir nous fait accéder à des états de conscience supérieure. Nous reviendrons sur ces effets.

CHAPITRE 4

Comment sommes-nous devenus *homo eroticus* ?

De tous les animaux, nous sommes l'espèce la mieux « dotée » et la plus douée sur le plan de l'activité sexuelle. C'est pourquoi nous aurions dû nous appeler *homo eroticus* plutôt que *homo sapiens sapiens*. D'autant que deux fois « savant » nous fait une tête bien pleine mais pas nécessairement bien faite ; il manque toujours, comme le prouvent chaque jour les « informations », une case ou plutôt un étage à notre cerveau, le quatrième, celui que réclament les philosophes et autres penseurs, et qui empêcherait de nous conduire en barbares : dominer, torturer, tuer, massacrer, exterminer.

En attendant d'être pourvu de cet étage, oyez la merveilleuse histoire qui nous a amenés à devenir cet « homme érotique ». Vous saviez que nous descendons d'un lointain ancêtre que nous avions en commun avec les singes et qu'un jour l'évolution a séparé nos destins : les singes sont partis d'un côté, les hominidés de l'autre. Les singes étaient alors pourvus d'un cerveau de 370 centimètres cubes de volume contenant 7 milliards de neurones ; des millions d'années plus tard, ils en sont au même point. Les hominidés, eux, ont voulu être plus malins que leurs cousins, et ils n'ont cessé d'accroître leur cerveau : les australopithèques (– 6 millions d'années) avaient 500 centimètres cubes de volume cérébral, et nous, *homo sapiens sapiens*, qui sommes apparus il y a quarante mille ans, nous en avons 1 500 centimètres cubes, ce qui correspond à 100 milliards de neurones. Notre cerveau s'est développé à la mesure de nos nouvelles fonctions : la pensée, le langage, la créativité, la mémoire, l'affectivité.

Tout cela, vous le saviez, mais ce que vous ignoriez, peut-être, c'est que dans cette époustouflante évolution il s'est produit un « bug » : quand notre cerveau atteignit 600 centimètres cubes, le volume correspondant du crâne qui le contenait était devenu si gros que la tête du bébé, au moment de l'accouchement, ne pouvait plus passer par le cercle osseux que formait le bassin. Il fallait que bébé sorte avant que le crâne n'atteigne le chiffre fatidique. Ce qui se fit.

Mais à ce stade, le cerveau est loin d'être fini : les centres de la locomotion, de l'équilibration, de l'orientation, de la vision, et de la thermorégulation sont immatures. Le petit être n'est qu'une larve inachevée, impuissante, incapable de survivre. Aucun animal à sa naissance n'est aussi fragile. Et, pourtant, cette larve survécut et deviendra l'espèce la plus puissante de la planète, le vrai roi de la nature. Comment ?

Parce qu'une femme, sa mère, lui donnera à l'extérieur ce qu'elle lui donnait à l'intérieur de son ventre : la nourriture, la chaleur, la protection, le repos. Et en prime, l'apprentissage de la vie. C'est, après l'utérogestation, l'extéro-gestation. Il s'agit d'accorder au cerveau le temps de grossir : passer de 600 centi-mètres cubes à 1 500 centimètres cubes, et de 10 mil-liards de neurones à 100. À dix mois, le bébé ne sait que ramper, à quinze, il commence à marcher. C'est seulement à l'âge de sept ans que le petit humain pourrait être autonome, encore que son cerveau n'atteint que 1 000 centimètres cube. Il faut attendre vingt-quatre ans pour que le cerveau humain soit achevé et mature.

Cette maturité du petit humain et la lente matura-tion de son cerveau ont deux conséquences fonda-mentales qui nous régissent toujours : la création du couple et la division du travail.

LA CRÉATION DU COUPLE

Le couple, c'était, biologiquement parlant, le milieu qui pouvait assurer au mieux la maturation du nou-vel être et qui créait les conditions les plus favorables à son développement, en apportant soins, nourriture, sécurité et apprentissage.

Le couple n'était pas une invention humaine, la plu-part des animaux vivent en couple soit par périodes, au moment du rut, soit en permanence. Encore main-tenant, 25 % des singes vivent en couples permanents, 75 % en couples épisodiques liés aux chaleurs ; les loups sont donnés en exemple de couple inséparable et fidèle ; quant aux oiseaux, ils sont les plus fervents adeptes de la vie à deux.

Pour former un couple, il faut choisir un(e) parte-naire à partir d'un certain nombre de critères. Pour ce qui concerne nos ancêtres de la préhistoire, un chan-gement majeur est survenu qui a permis d'affiner le choix : ils se sont redressés sur leurs pattes arrière pour s'ériger en position debout, devenant *homo erectus*. En conséquence, ils se sont mis à faire l'amour par-devant et non plus par l'arrière – *a tergo* –, comme tous les autres animaux. Ce qui change tout !

En effet, les signaux sexuels qui étaient situés sur la face postérieure ont été transférés sur la face antérieure, si l'on en croit Desmond Morris (*Le Singe nu*, éditions Grasset, 1968). Les fesses rondes, en virant de bord, sont devenues les seins, et la vulve intensément colorée de rouge vif, voire de violet, est devenue les lèvres. Ainsi les seins et les lèvres sont bien des signaux sexuels antérieurs. Si les seins ne servaient qu'à fournir du lait, et cela quelques rares fois au cours de la vie d'une femme, on ne voit pas pourquoi la nature en aurait fait un chef-d'œuvre esthétique : un globe plein, une aréole vivement colorée et légèrement surélevée et un mamelon saillant, voire provoquant, et également coloré. Il est évident que tels qu'ils sont, ils sont destinés à attirer l'attention de l'homme et à stimuler ses centres cérébraux du désir, plus qu'à être repérables par le petit. Du reste, aucun animal n'a de mamelles remarquables. Les guenons, en dehors de la lactation, n'ont que de flasques poches. Il en est de même des lèvres : leur forme constitue un dessin par-fait et parfaitement appétissant ; aucun animal n'a de telles lèvres, pas même les guenons.

Nous voici donc à faire l'amour par le versant anté-rieur. Alors que l'abord par la voie postérieure était impersonnel – rien ne ressemble plus à une paire de fesses qu'une autre paire de fesses, encore que… –, le face à face personnalise l'acte sexuel, qui en devient

« une relation sexuelle » : on voit le visage de l'autre, ses traits, ses expressions, on voit surtout son regard, on est proche de son oreille et proche de sa voix, de ses murmures, ses exclamations, ses paroles. Les êtres sont tellement différents que les critères de choix se multiplient, et leurs combinaisons donnent naissance à des personnalités vraiment uniques.

Mais l'élection d'un partenaire de jeu, pour le désir et le plaisir, ne suffit pas à faire un couple durable, comme l'exige la longueur de la maturation du petit. La nature va donc multiplier les liens. Ce seront les offres surabondantes de plaisirs (forts, multiples, permanents et inépuisables), le sentiment d'amour et le partage des tâches.

LA MULTIPLICATION DES DÉSIRS ET DES PLAISIRS

Le désir devient permanent. Alors que, chez les animaux, il se limite à deux périodes de rut par an, l'humain, lui, a toujours envie de faire l'amour, même quand se reproduire est impossible (pendant les règles, pendant les grossesses, après la ménopause). Il faut que le mâle se satisfasse d'une seule femme, qu'il ne soit jamais en manque, ni donc tenté d'aller « voir ailleurs ».

Les signaux sexuels se multiplient, surtout chez la femme. Aux seins et aux lèvres s'ajoutent les fesses de la femme qui se remplissent et s'arrondissent, sa taille qui se pince, son corps qui prend une forme de violon. Chez l'homme, la musculature devient plus apparente, les fesses plus nerveuses, le corps plus « carré ». Et chez les deux la pupille entre en jeu : en cas de désir elle se dilate, et cette « mydriase » provoque le désir de l'autre qui, du coup, entre aussi en mydriase. Il s'agit alors d'un jeu de miroir entre les désirs.

Les zones de plaisirs se multiplient. Les sexes deviennent des constellations de points voluptueux, tant chez la femme que chez l'homme. La peau elle-même se pare de tant de points érogènes (citons les lèvres, le lobule de l'oreille, les mamelons, parmi cent et mille) qu'elle en devient un manteau de sacre. Encore fallait-il que cette peau soit débarrassée de ses poils et se présente nue, afin d'être plus sensible et que le toucher soit plus raffiné.

La nature nous a-t-elle débarrassés de nos poils pour notre seul plaisir, qui du reste n'était pas vain, puisqu'il en allait de la pérennité de notre espèce ? Comme souvent, la nature poursuit deux objectifs en un saut d'évolution. Ici, le second objectif, vital pour l'individu, était de doter celui-ci d'un système de refroidissement. Au départ, notre pelage était destiné à nous protéger aussi bien de la chaleur que du froid, mais à une certaine époque, nos ancêtres ont été contraints de sortir des forêts, où ils vivaient et se nourrissaient de fruits, et se sont retrouvés dans la savane, où ils ont été amenés à se nourrir de viande. De frugivores, ils sont devenus omnivores et carnivores. Les voilà obligés de chasser. Hélas, ils n'avaient pas, comme tous les autres prédateurs, de griffes, de crocs, quatre pattes rapides prédestinées à des sprints foudroyants et des bonds époustouflants ; les malheureux se tenaient debout, un bâton à la main. Courir les épuisait très vite, en raison de l'échauffement important de leur corps. Il fallait donc les munir d'un système de refroidissement : leur ôter leurs poils et les pourvoir de milliers de glandes sudoripares dont la sueur, en s'évaporant, soustrairait des calories à la peau devenue nue. C.Q.F.D. Et pour les protéger du froid, la nature plaça sous l'épiderme une couche de graisse. Ainsi étaient satisfaits l'érotisme et le refroidissement.

Notons que de nous avoir dotés de mains hypersensibles et hyperhabiles fait aussi partie de notre « équipement » érotique.

LE PLAISIR SUPRÊME

Le plus extraordinaire cadeau que nous ait fait l'évolution, c'est ce plaisir extrême qu'est l'orgasme, que nulle espèce ne connaît et qui est plus qu'un plaisir : un état de conscience supérieur. Pour l'instant, il s'agit, sous l'effet du séisme voluptueux, d'estourbir la femelle de l'hominidé afin qu'elle reste en position horizontale après qu'elle a reçu le sperme ; car depuis que nos ancêtres se sont redressés, le vagin de la femme s'est verticalisé, aussi, si elle se relevait aussitôt après avoir fait l'amour, le sperme en ressortirait. Chez la guenon, le problème ne se posait pas. Du fait qu'elle se tient le plus souvent sur ses quatre pattes, son vagin est placé à l'horizontale ; en plus, elle bénéficie d'une surabondante quantité de sperme puisque, en période de rut, les guenons accueillent jusqu'à quarante coïts par jour.

Au total, l'importance des cadeaux érotiques faits aux humains est attestée par le développement d'un vrai « système » érotique, constitué de dizaines de milliers de capteurs de plaisir en surface, d'autant de nerfs qui transportent les influx au cerveau, de centres cérébraux spécialisés pour le désir, le plaisir, les émotions, la mémoire émotionnelle, etc., et qui sécrètent des substances euphorisantes, principalement des endomorphines. La nature a « mis le paquet » pour que l'humain soit profondément attaché à la sexualité et à son partenaire. Mais il en allait de la survie de l'espèce.

LE SENTIMENT AMOUREUX

Il fait bien partie de ce qui attache les membres du couple. Il n'y a pas eu à l'inventer, il était en nous : il s'agissait de l'amour pour notre mère, qui reste inaltérable au fond de tout humain et qui ne demande qu'à se réactualiser et à se porter sur une autre personne. Quant aux comportements amoureux, la référence, c'était encore la « geste » maternelle, elle aussi inscrite au fond des êtres. Et puis, il suffisait de regarder autour de soi les mères et les petits pour réviser ce qui était à faire.

En Occident, on attache une importance primordiale à l'amour, en particulier depuis les légendes fondatrices : Tristan et Iseult, Roméo et Juliette, le mouvement romantique ; toutefois, le mariage d'amour ne remonte qu'au XIXᵉ siècle. Ce sentiment n'est pas suffisant pour rendre un couple heureux et pérenne, comme le prouve l'actualité : deux couples sur trois divorcent au bout de trois ans en région parisienne, un sur trois en province. Il faut dire que l'on met sous ce mot toutes sortes d'illusions et de fantasmes, et pas l'amour véritable. En vérité, la vie à deux n'est pas un duo d'opérette, c'est un chemin de progrès de conscience. Mais cela est une autre histoire que je traite dans d'autres ouvrages.

Il faut savoir aussi que, en d'autres temps et en d'autres lieux, les couples se constituaient sur des bases différentes : l'intérêt, souvent (associer ses activités, agrandir ses territoires) ou, à l'opposé, la spiritualité. En Inde, par exemple, le mariage est considéré comme l'union entre l'atman de la femme et celle de l'homme, l'atman étant la divinité présente en chacun. Ces unions sont souvent plus heureuses et plus durables que les nôtres.

LE PARTAGE DES TÂCHES, OU « DIVISION DU TRAVAIL »

Revenons à notre petite larve tellement immature que la femme est contrainte de demeurer près de lui, au gîte – c'est l'extéro-gestation. Rappelons aussi que le but est d'assurer la survie de notre espèce. Alors, c'est à l'homme de partir à la chasse afin de satisfaire notre nouvelle façon de nous alimenter : carnivores nous sommes devenus.

C'est ainsi que s'établit une loi biologique fondamentale : le partage des tâches. La femme élève bébé, l'homme, lui, rapporte des protéines. Cette loi nous régit toujours, bien que nous ayons inventé quelques arrangements : les nourrices, les crèches, les papas poules, par exemple. Cette division du travail, selon certains penseurs, sera bientôt obsolète avec les nouvelles méthodes de procréation : l'utérus artificiel et le clonage, le relais étant pris à la « naissance » par des puéricultrices et des psychothérapeutes, ce qui évitera toutes les névroses qui empoisonnent notre vie et sont plus ou moins liées à « l'œdipe ».

En ce qui me concerne, je souhaite qu'à la sortie des machines les petits êtres pourront encore être recueillis par des êtres aimants, souhaitant assumer « à l'ancienne » le rôle de mère et de père, afin que les caresses demeurent une réalité.

Revenons un instant à nos femmes de la préhistoire. Demeurées au gîte, elles ne se sont pas contentées d'élever bébé, elles ont tout inventé : la fabrication des pots en terre, la couture des peaux et le tissage des fibres, la médecine, grâce à leur connaissance des plantes, la culture, en plantant des graines, l'élevage, en recueillant les petits d'animaux perdus. C'était le temps fabuleux du matriarcat. Les femmes étaient divines et Dieu était une femme.

Au total, l'érotisation optimale des hominidés, le sentiment amoureux et le partage des tâches ont permis que se crée entre la femme et l'homme un attachement durable et fidèle. Ainsi la femme pouvait compter sur le mâle pour se consacrer à son rôle de mère ; et le mâle pouvait compter sur la loyauté de la femme quand il partait à la chasse.

PARTIE III

LES CARESSES : BESOINS ET MERVEILLES

CHAPITRE 1

Avons-nous besoin de caresses ?

D'une façon générale, avons-nous besoin de stimulations cutanées ? C'est-à-dire de contacts, de caresses, de massages, d'étreintes, de baisers, de léchage, de mordillements, etc.

Une patiente me confiait que son mari, par ailleurs excellent, manquait de tendresse et ne la caressait jamais. Comme elle s'en était plainte à sa belle-mère, celle-ci lui avait répondu : « Vous avez un toit, vous avez de l'argent et de beaux enfants, que voulez-vous de plus ? »

C'était ignorer ou feindre d'ignorer que le besoin de stimulation cutanée est un besoin biologique fondamental, aussi impératif que le besoin d'eau et de nourriture. L'équilibre physique et psychique des êtres vivants – enfants aussi bien qu'adultes humains aussi bien qu'animaux – requiert un minimum de ces stimulations.

PREUVE PAR NOS AMIS LES ANIMAUX

Le besoin de contact est carrément vital chez les animaux : c'est pourquoi, entre eux, ils se caressent, se frottent, s'épouillent, se lèchent, se nichent, se roulent par terre, jouent ! Quant à l'auto-léchage, il n'a pas seulement pour but de se nettoyer, il vise aussi à stimuler les divers systèmes – digestif, urinaire, respiratoire, circulatoire, nerveux, génital.

Le « léchage d'amour » des petits par la mère est plus qu'un débarbouillage, c'est aussi une stimulation des fonctions physiologiques. Si la mère disparaît, le petit, faute d'être léché, mourra par blocage de son élimination urinaire et de son élimination rectale. Mais si l'éleveur chatouille avec un coton-tige le périnée du petit, les émonctoires se débloquent et le petit survit. De même, si une jument ne lèche pas suffisamment son poulain, celui-ci périclite ; il suffit alors au fermier de mettre du sel sur le petit pour que la mère se décide à le lécher et ainsi lui rendre la santé.

C'est Harlow qui, par ses expérimentations sur les singes, a donné les meilleures preuves du besoin de contacts. Dans une cage, il a placé, à gauche, un mannequin en fil de fer nu portant un biberon automatique ; et, à droite, il a placé un mannequin en fil de fer recouvert d'une laine. Puis, ayant introduit un bébé singe, il observa que, sur vingt-quatre heures, le petit passait une heure sur le mannequin au biberon, seize heures sur le mannequin de laine, et sept heures au milieu de la cage à se morfondre.

Dans une seconde expérience, Harlow n'a pas revêtu de laine le mannequin de droite, laissant le fil de fer à nu. Que croyez-vous que fit le petit ? Il passa à nouveau une heure sur le mannequin au biberon, zéro heure sur le mannequin au fil de fer nu, et le reste du temps il le passa au centre de la cage, prostré, suçant son pouce et se balançant.

Devenu adolescent, l'ex-bébé singe ne sut pas s'intégrer à ses congénères, il les fuyait. Devenu adulte, si c'était une femelle, elle ne savait pas se mettre en position de copulation devant le mâle ; devenue mère, elle ne savait pas s'occuper de ses bébés. Mais si, dans une troisième expérience, Harlow introduisait un second bébé singe dans la cage, ne serait-ce qu'une heure par jour, l'adolescent et l'adulte avaient cette fois un comportement normal.

On voit bien que le contact avec la mère ou avec un congénère a autant d'importance que l'absorption de lait pour se développer harmonieusement. Harlow de conclure : « On ne peut réduire la fonction maternelle à son côté alimentaire. Une autre fonction de la tétée est aussi importante, c'est le contact affectif. L'homme ne vit pas seulement de lait mais aussi de contacts chaleureux, c'est-à-dire du lait de la tendresse. »

Des expériences similaires ont été faites avec d'autres animaux, des rats, entre autres, et ont corroboré ces observations.

LES HUMAINS AUSSI

Pour épanouir son corps et son mental et obtenir une belle vitalité, l'enfant a également besoin que sa peau soit stimulée de la meilleure façon possible. C'est dans ses relations avec sa mère – un véritable corps à corps – qu'il reçoit l'optimum de stimulations. L'avait déjà prouvé une célèbre observation du docteur Fritz Talbot, dans les années 1920 : dans les orphelinats américains, 80 % des enfants mouraient avant l'âge d'un an d'un mal étrange, dit « marasmus », une sorte d'inexorable dépérissement ; le médecin constata qu'un seul service échappait à la règle fatale, et il remarqua qu'une nounou noire y prenait en charge les enfants qui dépérissaient et les bichonnait comme ses propres enfants. Alors le docteur Talbot prescrivit au personnel de tous les orphelinats de choyer les petits (caresser, cajoler, bercer, etc.). La mortalité passa de 80 % à 10 %.

D'autres chercheurs confirmèrent l'importance des contacts avec la mère, en comparant des enfants qui vivaient en orphelinat et des enfants élevés à l'intérieur des familles : chez les premiers, la croissance pondérale et la croissance en taille étaient plus faibles, le développement psychomoteur plus lent, les maladies de peau plus fréquentes ; en plus, leur comportement était bizarre : ils suçaient leur pouce, se balançaient, se tenaient raides dans les bras ; et l'acquisition du langage et de la marche était plus tardive chez eux.

Des observations dans les hôpitaux montrèrent que les enfants en longs séjours, et donc frustrés de contacts, présentaient les mêmes retards de développement et les mêmes attitudes de raideur.

D'une façon générale, on observe que les enfants qui ont été privés de caresses ont un caractère particulier. Tout se passe comme s'ils avaient été écorchés vifs et qu'ils avaient dû se constituer une carapace et se durcir à l'intérieur : ils ne sont pas tendres, pas caressants, pas oblatifs, peu expansifs, voire carrément taciturnes, leurs gestes sont raides, leur attitude balourde. Mais il n'empêche qu'ils sont nerveux et agressifs, comme si certaines cicatrices restaient à vif.

Devenus adultes, ce sont des « ours mal léchés », des « mal dans leur peau » : durs, froids, « taiseux », gauches, leur sexualité est rustre et peu généreuse. Ils frustrent leurs partenaires et leurs enfants. Car ceux qui ont souffert de n'avoir pas été caressés sont devenus intolérants aux caresses : ils n'aiment ni en donner, ni en recevoir. Combien de femmes m'ont dit : « Mon mari ne me caresse pas et ne supporte pas mes caresses. Que puis-je faire ? »

Aux États-Unis, une étude très importante de James W. Prescott, publiée en 1975, montre que la « violence qui sévit dans de nombreux pays et qui est une menace pour la paix mondiale provient de l'absence d'affection dans l'enfance, de l'interdiction des relations sexuelles à l'adolescence et de la répression de la sexualité de la femme ». L'étude porte sur quarante-six pays. Par violence, l'auteur entend le vol et le viol, la torture, le meurtre, le terrorisme, la guérilla, la guerre. En ce qui concerne le manque d'affection dans l'enfance, il précise que c'est en particulier le manque de contacts agréables qui est en cause. La carence de soins tendres et créateurs de plaisirs entraîne des comportements émotionnels et sociaux anormaux et est à la source de la violence de l'adulte. La répression de toute vie sexuelle – facteurs de multiples caresses – à l'adolescence aura les mêmes effets. Inversement, la permissivité réduit la fréquence des violences.

Quand le plaisir du toucher est élevé, la violence est faible. Inversement, quand le plaisir est inexistant, la violence est importante. « La solution à la violence est un plaisir physique procuré par des relations humaines significatives. » « Nous devons viser à l'amélioration du plaisir et à la promotion de relations humaines affectueuses » (James W. Prescott, *The Bulletin of the Atomic Scientists*, novembre 1975).

L'ACTUALITÉ CONFIRME

Des faits récents confirment l'importance du toucher. Il y a l'histoire pathétique de ces enfants découverts dans les orphelinats roumains qui, faute de contacts, étaient devenus psychopathes. Et il y a ces observations faites dans des services de pédiatrie en Autriche et en Grande-Bretagne.

En Autriche, un service de natalogie qui avait recours à des techniques de pointe (intubation, ventilation artificielle, perfusion), après avoir constaté que celles-ci laissaient trop de graves séquelles organiques et psychiques chez certains prématurés, décide de ne recourir à ces techniques qu'en cas d'extrême urgence. En dehors de ces cas, le bébé serait tout simplement placé contre le ventre nu de sa mère et nourri au sein maternel. L'incroyable se produisit : 99 % de ces bébés ne pesant que 500 grammes à la naissance ont survécu sans traitement technique, je le répète. Et la journaliste de *Femme actuelle* de conclure : « Les capacités de vie d'un enfant, si elles sont nourries d'amour et de confiance, sont immenses et dépassent toutes les techniques les plus sophistiquées. »

En Grande-Bretagne, dans le service de réanimation d'un grand département de pédiatrie, on préconise aux parents – le père aussi bien que la mère – de tenir une heure par jour leur enfant, gravement atteint, dans leurs bras et contre leur peau nue. La proportion de guérison s'est accrue de façon évidente.

QU'EN EST-IL DES ADULTES MAL CARESSÉS ?

Je ne parle plus des adultes qui ont été frustrés dans l'enfance, mais de ceux dont le passé fut « normal » et dont le présent est décevant : ils sont en couple avec un(e) partenaire non caressant(e). On constate que l'insatisfaction de leur besoin de contacts peut entraîner des perturbations psychiques, de l'irritabilité, des tensions nerveuses, de la tristesse, du cafard, voire un état dépressif, et également des troubles psychosomatiques, gastriques, intestinaux, gynécologiques, etc.

Mademoiselle M. était atteinte de mastose. Elle a alors connu un garçon particulièrement caressant, et qui savait notamment lui toucher les seins avec douceur et tendresse : la mastose disparut. Hélas, ils se sont séparés, et la mastose de Mademoiselle M. réapparut. Les flirts suivants n'y ont rien changé. Dieu merci le premier amoureux est revenu, et la mastose est repartie.

Si l'on additionne les maladies psychosomatiques des êtres mal chéris dans leur enfance et de ceux qui le sont dans leur couple d'adulte, on obtient un nombre considérable – des millions de personnes – de malades dits « fonctionnels ». Ces mal aimés, selon mon expérience, constituent 80 % des consultants des généralistes. Ils reçoivent en retour divers psychotropes – tranquillisants, somnifères, antidépresseurs, antidouleurs, etc., ce qui constitue une réponse mauvaise à deux titres : du point de vue de la toxicité et du point de vue du coût. Nous y reviendrons.

D'OÙ NOUS VIENT
CE BESOIN DE CONTACTS ?

Comment expliquer le besoin, si grand, que nous avons de toucher et d'être touché avec affection ? Existe-t-il un instinct inné qui nous y pousse ? Est-ce une habitude prise au cours de nos relations avec notre mère ? Est-ce un avatar du désir sexuel ?

Il se peut que ce soit une survivance de la « pulsion d'agrippement » qui existe chez les primates et devait exister chez l'ancêtre commun et les premiers hominidés. Observons comment se comportent nos cousins : pour accéder aux mamelles de la mère, les petits singes s'accrochent à son pelage et, pour se solidariser à elle quand elle se déplace de branche en branche, les petits s'agrippent à ses poils ; en effet, la mère ne porte pas ses petits dans ses bras, ni pour les nourrir, ni pour les transporter ; l'agrippement est donc vital, particulièrement dans les déplacements, car si l'enfant chutait, il serait dévoré par les prédateurs qui rôdent.

Quand les hominidés ont perdu leurs poils, les petits n'ont plus eu la possibilité de s'accrocher, aussi les mères ont dû les tenir dans leur bras (Serait-ce trop dire que la tendresse ne tient qu'à un poil ?). Toutefois, la pulsion d'agrippement persiste sous deux formes :
Le « **grasping-reflex** » : peut-être avez-vous vu le pédiatre glisser un crayon sous les orteils de votre

nouveau-né et avez-vous constaté que celui-ci serrait l'objet et le retenait. Réflexe archaïque qui disparaît quelques jours plus tard.

La **pulsion d'attachement** : c'est elle qui, justement, serait à la base de cette envie que nous avons de contacts tous azimuts, contacts cutanés (les caresses), contacts orificiels (les baisers), contact global (l'étreinte).

En ce qui concerne le besoin d'étreinte, Ashley Montagu parle d'« instinct de contrectation ». Il avance que ce comportement concerne spécialement les femmes et que nombre d'entre elles accepteraient de faire l'amour uniquement pour être prise dans les bras.

CHAPITRE 2

Retrouver le paradis

Les premiers temps de la vie sont pour l'enfant un véritable paradis. La « geste » maternelle est admirable, parfaite : c'est sa façon d'allaiter et de nourrir, de laver, de talquer, d'habiller, de déshabiller, de manier, de bécoter, de chatouiller, de jouer, de bercer, que sais-je. Le comportement de la mère est un modèle de tendresse, de sollicitude, d'abnégation. La relation entre la mère et le bébé est la plus dense, la plus intense, la plus intime des relations humaines et la plus satisfaisante. Pour l'enfant, c'est le bonheur absolu, la béatitude. Ce corps à corps est inscrit à vie dans sa peau, dans chacune de ses fibres. Il gardera de ce temps une perpétuelle nostalgie.

L'adulte héritera de cette empreinte, aussi il attendra des êtres qu'il va approcher une gestuelle semblable. Et lui-même est prêt à donner toute la tendresse et les caresses rêvées ; il lui suffit de se laisser inspirer par ses souvenirs plus ou moins conscients.

> « L'enfant au sein de la mère est le prototype de toute relation amoureuse.
> Trouver l'objet sexuel n'est en somme que le retrouver. »
>
> Sigmund FREUD

CHAPITRE 3

Les bienfaits des caresses
sur la santé et le psychisme

À vrai dire, tout le monde connaît les bienfaits du toucher, que l'on appelle caresses, massages, étreintes ; mais nombre de personnes ne pensent pas à y recourir, ou n'osent pas, en raison de blocages psychologiques. Et puis on ignore que des observations scientifiques ont confirmé ce que chacun sait d'instinct. Enfin, il est plus facile, en cas de douleurs, de stress, de cafard, d'avaler un verre d'alcool ou un comprimé.

Les mamans, par exemple, savent depuis toujours qu'il suffit souvent de poser la main sur le ventre de bébé pour soulager ses coliques, les êtres compatissants savent que de prendre la main de l'anxieux l'apaise ou de prendre dans ses bras le désespéré le calme et le réconforte, et le médecin qui prend le temps de tenir la main de l'asthmatique en crise voit sa panique s'apaiser.

D'apprendre que les heureux effets des contacts sont confirmés par la biologie et la psychologie vous incitera à y avoir recours plus souvent.

Les effets sur le corps

C'est au niveau de la peau elle-même que se produisent les premières **réactions physiologiques**. La circulation locale s'active, les artères et les capillaires se dilatent, apportant plus de sang, plus d'oxygène et de substances nutritives à l'épiderme et au derme ; les veines s'ouvrent aussi, en drainant et en évacuant plus efficacement les déchets des tissus (urée, acide urique, etc.). En ce qui concerne en particulier la peau du visage, on constate que les muscles peauciers (de fins muscles sous le derme) se décontractent, estompant ainsi les rides. Au total, on peut dire que le toucher a un effet rajeunissant sur la peau. Peut-être qu'un jour, dans un monde où l'amour triomphera, on n'aura plus à utiliser de crème de jour ou de crème de nuit car les caresses et les baisers offerts aux visages des gens aimés les maintiendront éternellement jeunes. Du reste, je me demande si l'effet de ces crèmes ne serait pas tout simplement dû au fait de se masser la peau pour les appliquer.

Autre heureux effet des contacts agréables : **le relâchement des muscles** contracturés. La peau touchée envoie des signaux aux centres médullaires et cérébraux qui contrôlent le tonus musculaire ; ceux-ci, en retour, commandent aux muscles de se détendre.

La circulation générale est également améliorée par les contacts corporels agréables : le cœur s'apaise et se ralentit et, en conséquence, il bat plus efficacement, la tension artérielle, si elle était trop élevée, s'abaisse et s'établit à un bon niveau, la circulation veineuse de retour s'amende. Et dans chaque tissu le sang circule mieux, apportant plus d'oxygène et de nutriments et emportant plus de déchets.

La respiration aussi profite des caresses. Habituellement, nos mouvements respiratoires sont trop superficiels : nous respirons du bout des lèvres et des poumons parce que le stress, la peur, la répression des émotions nous font retenir notre souffle. À la longue, notre thorax peut se rigidifier, notre organisme manquer d'oxygène et être saturé de gaz carbonique. Les caresses comme les massages, en rendant possible le relâchement de nos muscles respiratoires, nous permettent de respirer amplement, calmement. Souvent, les premiers contacts d'une main sur la peau déclenchent de grands soupirs, comme si notre corps nous disait : « Enfin, tu me laisses souffler ! »

Autre système activé : **le système hormonal**. C'est l'hypothalamus qui est mis en branle par la stimulation de la peau ; il donne alors l'ordre à l'hypophyse, chef d'orchestre des glandes endocrines, de régulariser toutes les sécrétions, et en particulier de réduire l'adrénaline, hormone du stress.

En vérité, tout l'organisme bénéficie des contacts agréables. On sent bien, dans un couple qui vit de bonnes relations tactiles, entre autres, que chacun a une bonne vitalité et une peau qui rayonne de santé.

Les effets psychologiques

Le toucher en général, les caresses en particulier, ont de nombreux effets bénéfiques sur notre état psychique et sur notre santé mentale. Les plus heureux sont :

L'effet sédatif : la tension nerveuse se détend, l'énervement se calme, le stress s'apaise. D'où il s'ensuit un effet hypnogène : si on cherche le sommeil, il viendra plus facilement. Les bébés et les enfants ne sont pas les seuls à s'endormir dans les bras de leur mère ; bien des adultes, femme aussi bien qu'homme, trouvent la détente et s'endorment dans les bras de leur aimant. N'est-ce pas mieux que de prendre un somnifère ?

L'effet tranquillisant, dit aussi anxiolytique : grâce à ce contact agréable, le nœud qui nous serrait la gorge se dénoue, le poids qui écrasait notre poitrine s'allège, l'inquiétude qui nous taraudait s'évapore.

L'effet de stimulation de la bonne humeur, c'est-à-dire antidépression, dit encore thymoanaleptique : notre bonne humeur est stimulée, le noir que l'on broyait s'évacue. Nous étions triste, il ou elle arrive et nous prend la main et le monde nous sourit ; nous étions morose, elle ou il survient et nous prend dans ses bras et le soleil perce les nuages.

COMMENT S'EXPLIQUENT LES HEUREUX EFFETS ?

L'embryologie, tout d'abord, nous apprend que la peau et le système nerveux sont des tissus qui ont une origine commune. À la deuxième semaine de la vie intra-utérine, l'embryon a la forme d'un disque fait de deux feuillets : l'ectoblaste et l'endoblaste. À la troisième semaine, l'embryon prend une forme sphérique ; l'ectoblaste donne, d'un côté, l'épiderme, qui enveloppe cette sphère et, de l'autre, un tube au centre de celle-ci : le tube neuronal, futur système nerveux. C'est pourquoi des troubles psychiques (inquiétudes, angoisses, etc.) peuvent engendrer des maladies de peau : eczéma, psoriasis, etc. Et à l'inverse, des contacts agréables de la peau peuvent améliorer des perturbations psychiques.

La physiologie du cerveau nous apprend par ailleurs, comme vous le savez déjà, que les contacts agréables déclenchent la sécrétion par le cerveau de neuro-hormones et de neuro-transmetteurs (les endorphines, la dopamine, etc.) dont nous avons vu les effets psychiques.

Enfin, **la psychologie** nous montre comment un contact peut avoir une conséquence psychique : le toucher affirme de façon tangible, c'est-à-dire concrète, la présence de l'autre et met ainsi fin à la solitude. Non pas seulement à la solitude ponctuelle de l'instant présent, mais à la solitude radicale qui est le propre de l'être. En effet, l'existence est une succession de déchirures insoutenables : séparation d'avec la mère à la naissance, séparation d'avec le sein de la mère au sevrage, d'avec les jupes de la mère à l'âge de raison ; séparation-rupture d'avec son premier amour, puis d'avec les suivants. Et aussi solitude créée par la société actuelle, devenue plus froide, plus égoïste, ce qui est plus dur à supporter dans certaines situations, quand on est à l'hôpital ou en maison de retraite, par exemple. Le toucher est alors le meilleur antidote à la solitude car il montre à l'évidence que l'on n'est pas seul, que quelqu'un s'occupe de nous.

Entre la femme et l'homme, la caresse rompt la solitude mieux que le rapport sexuel. Car dans ce dernier, l'autre peut être agi uniquement par pulsion et être totalement absorbé par son plaisir, on peut alors se sentir seul(e). Dans la caresse, on est nécessairement deux, car elle est plus oblative, plus gratuite.

Car la caresse est un langage, c'est une communication non verbale. La main qui donne parle, dit sa tendresse, sa sensibilité, sa sensualité ; et elle écoute et entend les réactions de la peau qu'elle touche, de tout l'être qu'elle aborde ; elle ressent son abandon, son plaisir, ses aveux. La peau qui reçoit la caresse perçoit bien ce que la main dit et y répond. C'est un vrai dialogue.

Ce qui s'échange entre main et peau, ce sont des sensations tactiles, des variations de pression, des gradients de chaleur, ce sont des sortes de vibration, ce sont des ondes magnétiques, ce sont des mouvements plus ou moins rapides. Et tout cela parle, comme parle aussi la respiration par son rythme et son amplitude, comme parle la voix par les sons de toutes sortes qu'elle émet – murmures, onomatopées, mots, cris, ou autres… Parle pour dire le plaisir ressenti, son intensité, ses douceurs, ses pics, pour exprimer approbation, encouragement et gratitude.

La caresse ne peut mentir car la peau ne se laisse pas tromper ; elle perçoit bien le degré de tendresse et de sensibilité du donneur, sa présence ici et maintenant, sa générosité de cœur au corps relié. Quelle que soit sa technicité, s'il ne s'implique pas, si son geste est mécanique et n'est qu'un « tour de main », la peau le sentira. Inversement, s'il est aimant, sensuel, généreux, elle appréciera. La caresse traduit, trahit ce que l'on est.

LES CARESSES POURRAIENT-ELLES REMPLACER LES MÉDICAMENTS PSYCHOTROPES ?

On appelle « psychotropes » les sédatifs, les tranquillisants, les somnifères et les antidépresseurs. Ma question n'est pas aussi insolite que cela. D'une part, les contacts ont de réels effets psychiques, d'autre part, l'usage des psychotropes, surtout lorsqu'il est abusif, comme c'est le cas en France, a de nombreux effets négatifs : réduction de l'énergie vitale, diminution de l'activité intellectuelle – discernement, mémoire, créativité, entre autres –, effritement de la libido et du plaisir sexuel (suite à lire sur les notices des boîtes de médicaments).

Marguerite, ma nouvelle voisine, a soixante-quinze ans. Je passe la saluer, elle me retient à dîner. Avant le repas, elle se met à compter des gouttes dans un verre, je regarde le flacon : c'est un antidépresseur puissant. « Pourquoi prenez-vous ce médicament, Marguerite ? » « Mon mari est décédé il y aura bientôt quinze ans. J'ai fait une dépression, alors mon médecin m'a prescrit ces gouttes. Depuis, il repasse tous les mois renouveler l'ordonnance. » Quelques années plus tard, Marguerite va perdre la mémoire et débuter un Alzheimer.

Joëlle, « ma » coiffeuse, me paraît « dans le gaz » : « Je vous trouve fatiguée Joëlle. » « Pas vraiment, mais je n'ai plus d'allant, je dormirais tout le temps. »

« Prenez-vous un médicament ? » Elle me cite les noms. Ce sont des somnifères et des antidépresseurs. « Pourquoi prenez-vous cela ? » « Mon père est mort il y a deux mois. Mon médecin m'a dit que je faisais une dépression. » Quand on perd un être cher on est triste, mais on ne fait pas nécessairement une dépression. Cela fait partie de la condition humaine, et l'humain est capable de faire le deuil. Prendre des psychotropes, c'est briser son énergie de lutte contre le chagrin et entrer dans une addiction.

Pour Marguerite, plus de tendresse de la part de sa fille, avec qui elle habitait, pour Joëlle, plus d'attention et de câlins de la part de son mari auraient suffi.

En France, nous faisons une énorme consommation de « médicaments pour les nerfs ». Alors que notre pays est cinq fois moins peuplé que les États-Unis, nous consommons cinq fois plus de psychotropes. Pourquoi ? Cela commence à l'université. Les enseignants ne croient qu'aux traitements chimiques parce qu'ils sont trop « scientifiques » – c'est-à-dire trop rationnels, et parce qu'ils sont manipulés, voire rétribués par les firmes pharmaceutiques. En ce qui concerne les psychiatres, s'ils sont de gros prescripteurs de ces drogues, outre les raisons évoquées ci-dessus, c'est faute d'avoir fait personnellement un travail sur eux (seul un faible pourcentage a fait une psychothérapie ou une analyse), ils restent des théoriciens et préfèrent l'action chimique des remèdes à l'évolution de la conscience. Quant aux généralistes, ils ne reçoivent pas de formation de psychologie ; et puis il est plus facile et plus rapide pour eux de prescrire un comprimé que d'écouter et d'essayer d'aider les patients. Il faut dire que la modicité des honoraires de l'assurance maladie les oblige à « expédier » les consultants.

Plutôt qu'un tranquillisant ou un verre de whisky, pourquoi ne pas offrir à votre femme ou à votre homme qui rentre du travail fourbu(e), stressé(e), un massage du cuir chevelu et des trapèzes (les muscles du cou entre nuque et épaules, qui portent la tête), du dos (ces muscles latéro-vertébraux qui en ont plein le dos) ou un massage des pieds (un délice) ? Installez-le (la) sur une chaise, sur un canapé, sur un lit, et allez-y ! Vous ne savez pas masser ? Bien sûr que si ! C'est naturellement dans vos mains et dans votre cœur. D'ailleurs vous l'aviez fait spontanément avec bébé. Faites comme vous feriez avec une boule de glaise ou de la pâte à pain, avec plus ou moins de force et de subtilité selon la personne et la zone du corps. Écoutez ce que les bouts de vos doigts vous disent, ce que la peau touchée dit, ce que la bouche et la respiration de votre ami(e) disent. En tout cas, faites « bonne chair ».

Vous pourriez aussi lui offrir une étreinte. Fabuleux ! Debout ou allongés sur le divan ou la moquette ou le lit, prenez-vous dans les bras, abandonnez-vous à vos respirations ; vos bouches proches, sentez le souffle de l'autre, alternez vos mouvements : elle expire, vous inspirez et réciproquement ; un bien-être vous envahit, une douce paix vous gagne, une nouvelle énergie vous remplit lentement.

Henri, soixante-douze ans, a été « placé » dans une maison de retraite. À 20 h 30, « tout le monde au lit » et, pour être sûr que chacun s'endorme et fiche la paix au personnel, on oblige les pensionnaires à prendre un somnifère. Henri crève d'envie d'être touché, d'avoir une main sur son front ou dans sa main, un baiser sur sa joue. Il rêve d'être pris dans les bras. Un soir, quand une employée lui a apporté le comprimé pour dormir, il lui a pris la main entre ses deux mains et l'a portée à sa bouche. Depuis, il est considéré comme un « vieux dégoûtant », un « vieillard lubrique ». Et la tendresse, bordel !

CHAPITRE 4

Une recharge énergétique

L'énergie vitale, c'est l'énergie liée à l'activité des êtres vivants animaux et végétaux. Les Occidentaux et les Orientaux ont une conception radicalement différente de la notion d'énergie vitale.

La conception occidentale se réfère à la notion scientifique : on appelle énergie la force qui est capable de produire un travail et, plus particulièrement, d'engendrer un mouvement. À l'échelle des cellules vivantes, l'activité vitale s'accompagne de phénomènes électro-magnétiques et de déplacements d'ions. La cellule, unité de vie, fonctionne comme une micro-pile : de part et d'autre de la membrane sont déposées des charges électriques, et des ions Na (sodium) et K (potassium) s'échangent à travers cette membrane ; l'ion Na entre, l'ion K sort, c'est ce transfert d'ions qui constitue l'activité électrique. Chaque organe étant une addition de cellules engendre un courant plus important, qu'on peut enregistrer : pour le cœur, c'est l'électrocardiogramme, pour le cerveau, l'électroencéphalogramme, pour le muscle, l'électromyogramme. Le corps dans son ensemble émet un champ électromagnétique qu'on peut mettre en évidence par l'effet Kirlian. Si l'on soumet ce corps à un certain courant électrique et qu'on le radiographie on voit, entourant toute sa périphérie, un halo lumineux.

Mais, hélas, aucun travail, à ma connaissance, n'a été mené sur les phénomènes électriques qui apparaissent au niveau de la peau, et spécialement de la peau des mains lors du toucher. Pourtant, on sent bien qu'il y a entre notre peau et d'autres peaux des phénomènes d'attirance qu'on peut même qualifier d'attraction. Il y a des peaux et il y a des mains qui nous attirent plus spécialement et, quand nous les touchons, nous sentons les téguments se coller comme des aimants et un bonheur subit nous envahit.

On peut parler de magnétisme. Pourtant, aucun « magnétiseur » interrogé ni aucun traité de magnétisme consulté n'ont pu donner d'explication scientifique sur l'attrait entre deux épidermes. Et, tout compte fait, c'est bien si la peau de nos amoureux garde les mystères de son pouvoir.

VU D'ORIENT

La conception orientale de l'énergie vitale, parce qu'elle est irrationnelle et empirique, peut gêner un esprit occidental. Et pourtant, elle est une construction parfaitement harmonieuse, voire logique, et elle a des applications pratiques corroborées par des millénaires, et qui sont toujours efficaces. L'énergie vitale universelle, ou « chi », est le principe moteur de l'univers, une force immatérielle non identifiable mais décelable par ses effets. Elle parcourt tout l'univers et imprègne tout ce qu'il contient. C'est elle qui anime chaque être vivant. Elle est d'origine cosmique mais aussi tellurique, notre terre ayant accumulée des réserves prodigieuses depuis sa formation.

La quantité d'énergie dont est dépositaire chaque être humain circule à travers son corps, d'organe en organe, en empruntant des voies propres – les méridiens. Elle conditionne notre état de santé : si la quantité est suffisante, sa circulation fluide, nous sommes en bonne santé ; si la quantité est insuffisante ou la circulation bloquée, nous sommes malades. L'acupuncture, en agissant sur certains points, va recharger les réserves et lever les blocages.

Il est possible que les effets bénéfiques du toucher (des caresses, entre autres) s'expliquent par la stimulation, fortuite, des points d'acupuncture. Comme dans la digitopuncture ou le shiatsu, les doigts, en caressant, peuvent, sans le savoir, activer ces points. Quel bonheur de savoir que tout en chérissant notre aimé(e) nous améliorons son équilibre énergétique, et donc sa santé mentale et physique.

D'autres conceptions orientales considèrent que l'énergie vitale forme autour du corps des enveloppes extérieures – les auras. Il y en aurait une à 50 centimètres, une à 5 centimètres, et une à fleur de peau. À l'intérieur du corps, cette énergie s'organiserait en centres d'énergie – les chakras – et circulerait selon des lignes données – les champs tubulaires. Ici aussi, quel étonnement et quel bonheur de savoir que, lorsque nous nous approchons de notre amoureux(se) et entrons dans son intimité, nous franchissons ses auras et contactons ses chakras. Sans doute, cela participe à notre unité et à notre bonheur.

LE MEILLEUR TRAITEMENT ANTIFATIGUE

Quelles que soient nos croyances, il est évident que le toucher, sous toutes ses formes – caresses, massages, étreintes, etc. –, constitue une fabuleuse recharge énergétique et un merveilleux « traitement » antifatigue.

Après un simple câlin dans les bras de l'aimé(e), on sent bien qu'on a récupéré des forces. Après une étreinte forte et prolongée, on se sent rénové. Après un massage des pieds, on est prêt à courir un marathon. Après un massage du cuir chevelu, on est prêt à inventer la poudre. Après un massage du corps, on est frais comme après une bonne nuit.

CHAPITRE 5

Les ennemis des caresses

Si le *Traité des caresses* fut si bien reçu, c'est qu'il constituait une apologie du toucher, affectif et érotique, c'est-à-dire de gestes qui étaient jusqu'alors décriés, voire interdits, ou même condamnés. Il a ainsi libéré les êtres et rendu aux mains toute leur liberté. Il fut en quelque sorte le manifeste d'un virtuel « mouvement de libération de la main », ou MLM.

BLOCAGE CHEZ LES MÂLES

Dans les sociétés patriarcales, une sorte de « virilisme » interdit aux hommes de caresser. De tels gestes sont indignes d'un homme qui mérite ce nom. La virilité est incompatible avec la sensibilité, la tendresse et l'émotion. Tout cela est marque de faiblesse et de mollesse. Toute l'éducation du mâle a pour but d'en faire un dur, quelqu'un qui étouffe sa sensibilité et réprime ses émotions, en l'empêchant de s'exprimer par le verbe ou le geste. Vraiment, chez l'homme patriarcal, il n'y a pas de place pour les caresses. Un des summum de cette civilisation a été le puritanisme de l'ère victorienne, qui n'est pas si éloigné de nous.

Un pas de plus et on a le machisme, qui se caractérise non seulement par une surestimation de la qualité de mâle, mais en plus par un mépris de la femme. Aussi les caresses, disent les machos, c'est juste bon pour cet être sensible, sentimental, faible, et fragile. Il y avait même des machos tels les Romains qui prétendaient que les mains des hommes faites pour tenir les armes ou pour servir l'art oratoire ne pouvaient que se dégrader au contact de la peau féminine. Les mêmes prétendaient que la bouche de l'homme, organe de la parole et du discours, ne pouvait se compromettre sur les lèvres d'une femme et encore moins sur son sexe. On le voit, les tabous ici ne sont pas moraux mais sexistes, ce qui a privé les Romains et les Romaines des joies du baiser et du cunnilinctus.

Une telle phobie du toucher et une telle attitude à l'égard de la femme s'expliquent par une peur plus profonde, plus archaïque : la peur de la femme, ou « mâle peur » (Gérard Leleu, *La Mâle peur*, édition J'ai lu Bien-être, 1999). Pendant des dizaines de milliers d'années, les valeurs féminines, essentiellement liées à la vie, avaient prédominé, c'était le matriarcat. Cette prédominance s'expliquait par les « pouvoirs » de la femme : pouvoir très extraordinaire de donner la vie – créer dans son ventre de nouveaux êtres –, pouvoir érotique aussi extraordinaire – attirer l'homme, l'enivrer, l'attacher –, pouvoir moral – détenir l'autorité en tant que seule origine sûre de l'enfant, donc de la famille et du clan. Puis les hommes, il n'y a guère que quinze mille ans, avaient pris le pouvoir et réduit la femme en soumission. Ce fut le patriarcat. Mais les femmes continuaient de détenir leurs pouvoirs « magiques », aussi les hommes craignaient qu'à nouveau elles l'emportent sur eux. Ils avaient donc organisé un arsenal répressif pour se défendre de la femme et de la féminité. Leur répression des caresses en faisait partie.

Une coutume quasi universelle illustre bien leur peur du féminin : l'initiation des garçons pubères. Entre sept ans et douze ans, les garçons étaient arrachés des bras de leur mère dans le dessein d'en « faire des hommes ». Il s'agissait de les débarrasser de cette « proto-féminité » qui les imprégnait depuis la vie intra-utérine où le sang de la mère les perfusait, depuis les premières années de la vie où le lait maternel les remplissait. Proto-féminité renforcée par un bain permanent de tendresse et de caresses.

Dans les tribus, les garçons étaient emmenés au fond des forêts et, entre autres épreuves, on leur tailladait la peau afin que s'écoulent les humeurs féminines. Dans la Grèce antique, les éphèbes étaient confiés à des adultes – des mentors – qui les enseignaient et avec qui ils avaient des relations affectives, voire sexuelles (pédérastie).

À l'époque médiévale, les garçons quittaient leur château natal et « la chambre des Dames » pour devenir page dans un château allié et apprendre le métier des armes.

Il est vrai que le monde patriarcal est si dur, si cruel, si violent qu'il vaut mieux s'être débarrassé de toute trace de tendresse, de toute envie de caresses. Tout cela n'est que faiblesse et mollesse. Le patriarcat c'est la domination du plus fort, l'écrasement des doux.

Sous nos latitudes, la grande ennemie des caresses fut l'Église. Dès l'origine, les penseurs chrétiens adoptèrent le discours que tenaient les intellectuels, grecs aussi bien que romains, de l'époque : l'esprit c'est le bien, la matière c'est le mal, et l'homme – au sens générique – est le siège d'un conflit entre l'un et l'autre. La chair étant matière, ses plaisirs mettent l'homme sous l'emprise du mal. Ces premiers penseurs chrétiens posèrent donc pour principe que la pratique de la chair est un « péché », c'est-à-dire une erreur qui nous détourne du seul but qui compte : l'épanouissement de l'âme ; et qui pervertit l'esprit, qui alors ne peut plus trouver Dieu.

Saint Paul a été le premier à mettre en garde contre la chair ; c'est pourquoi il conseillait le célibat et ne tolérait le mariage qu'à ceux qui étaient par trop tourmentés par le désir : « Mieux vaut se marier que de brûler. » Il fallait d'autant plus s'occuper de son âme que la Parousie – le retour du Christ sur terre – ne tarderait pas. En outre Paul, en tant que Romain, savait à quelle décadence aboutissaient les peuples et les êtres qui vivent dans le stupre ; et il était influencé par la philosophie stoïcienne, qui était née en réaction à cette décadence et prônait une certaine austérité.

Par la suite, les Pères de l'Église et autres théologiens catholiques vont reprendre ce discours et y ajouteront une méfiance doublée d'un ressentiment, voire d'une haine envers la femme qui, selon une des légendes bibliques, « la Genèse », est à l'origine du « péché originel », et donc cause de la perte du Paradis. « Toute femme devrait mourir de honte à la pensée d'être femme », vitupérait Clément d'Alexandrie. « La femme est l'alliée de Satan et la porte de l'enfer », proclamait Tertulien. « La femme doit être soumise à son mari comme un serviteur à son maître car elle est responsable de la perte d'Adam », affirmait saint Thomas d'Aquin. Saint Augustin confirma cette misogynie et cette érotophobie, en affirmant que le péché originel était de nature sexuelle et qu'il avait installé en nous ce penchant pour la chair, pis, cette soumission de l'esprit à la chair qu'il nomme « concupiscence ». Augustin renie son passé de jouisseur et même son ancienne amoureuse : « Chez l'homme le corps est le reflet de l'âme, alors que la femme est sous la domination de son corps. »

Bien entendu, toutes ces positions et ces déclarations ne proviennent pas de l'enseignement de Jésus. Leur origine, c'est la misogynie ambiante, celle de la civilisation gréco-romaine, celle de la Bible. Misogynie inspirée par la mâle peur. Les « Pères » parlent en mâles peureux, et non en croyants. Et ils parlent en stoïciens, non en chrétiens. Le résultat, ce fut vingt siècles de répression de la femme et de la sexualité, des millions d'êtres frustrés, culpabilisés, névrosés, malheureux.

Beaucoup de personnes sont encore sous l'influence de cette répression. Pour les en libérer, il est bon de revenir aux sources, c'est-à-dire à ce qu'a fait et dit Jésus. Pour lui, la main était quelque chose de bienveillant, dispensatrice de bienfaits sinon de caresses. Il s'en est servi en particulier pour opérer des guérisons miraculeuses. Par exemple : il rendit la vue à un aveugle en déposant avec ses doigts de la boue sur ses yeux malades. Parfois même, il guérissait juste parce que la ou le malade lui avait touché la peau : ce fut le cas de la femme « hémorroïsse », dont les saignements s'arrêtèrent quand elle eut touché Jésus au milieu de la foule.

Jésus n'a jamais condamné le plaisir sexuel et, surtout, n'a jamais été hostile à la femme. Au contraire, par plusieurs de ses déclarations, il s'est révélé le premier féministe de l'Histoire.

QUAND LES MÉDECINS S'Y METTENT

Au XIXe siècle, les médecins prirent la relève des clercs dans la répression de la sexualité et de la femme. Ils s'attaquèrent en particulier à ce que les clercs appelaient les « plaisirs inutiles » (parce que non fécondant) que procure la main ; ils appelèrent « manuellisation » ce que les curés avaient appelé « masturbation » (de *manu* : la main, et *turbare* : perturber). Le plus furieux, le docteur Tissot, lance la campagne par un traité apocalyptique : « L'onanisme, dissertation sur les maladies produites par la masturbation. » Paru en 1760, le livre fut réédité jusqu'en 1903 ; y sont décrits tous les maux dont seront atteints les branleurs et les branleuses, dont la cécité n'est pas le pire, et qui conduira à la déchéance finale. La description est horrible et, bien entendu, complètement fausse. Plusieurs médecins, par la suite, écriront des traités semblables, spécialement à la fin du XIXe siècle.

Par ailleurs, le corps médical s'en prit à la « trop grande lubricité des femmes, à leurs tendances luxurieuses, et à leur déshonnêteté », qui allaient, selon eux, jusqu'à la nymphomanie et pouvaient déboucher sur l'hystérie. De Bienville, un autre furieux, commit, en 1771, *La Nymphomanie ou le traité de la fureur utérine*. L'homme, selon lui, ne se méfiera jamais assez de la « fougue vicieuse de ces mangeuses d'hommes ». Ces perturbations sexuelles étaient plus redoutables encore quand elles atteignaient des « filles de famille » ou des bourgeoises. L'arsenal thérapeutique comprend des saignées, des compresses émollientes sur la vulve et des actions directes sur le sexe : suture des grandes lèvres (le célèbre Broca, 1864), ablation du clitoris (Levret, 1805, Garnier, 1867) ou sa brûlure au fer rouge (Guérin, membre de l'Académie de médecine, 1867), ou sa cautérisation au nitrate d'argent (Pouillet, 1894) ; les plus grands professeurs, membres de l'Académie de médecine, recommandent et pratiquent ces interventions. L'arsenal répressif contre les femmes jugées « trop gourmandes » comprend enfin l'enfermement dans des « maisons de force », où on leur applique la camisole de force.

En revanche, les femmes s'amusent des médecins en leur jouant la comédie des maladies imaginaires qu'on dira « hystériques » – se jouant en même temps des hommes en général et d'un père qui les avaient négligées. Aux médecins, elles présentent tel trouble, telle douleur ici ; le médecin les soigne, mais elles reviennent avec un autre mal ailleurs, et ainsi de suite. Histriones, elles déjouent le thérapeute et en même temps l'adorent. Lui, il est défié, agacé, mais il marche tant elles sont irrésistibles. Inversement, à la Salpêtrière, c'est Charcot qui s'amuse des hystériques, provoquant leurs crises et les donnant en spectacle au Tout-Paris.

L'érotophobie s'est poursuivie au début du xxᵉ siècle, où l'on proposait des « articles d'orthopédie » pour prévenir les « mauvaises habitudes manuelles » et nocturnes : des moufles hérissées de picots et des chemises de nuit dont les manches et l'extrémité inférieure étaient fermées par des cordons que l'on pouvait attacher au lit.

La peur du toucher et de l'auto-toucher a sévi encore longtemps. À table, il fallait mettre les mains sur la nappe, au lit, il fallait les mettre au-dessus des draps. Moi-même j'avais retenu des leçons de caté-chisme que le seul vrai péché c'était le péché d'im-pureté, celui qui consistait « à jouer avec le petit robinet qui sert à faire pipi », selon les termes du curé. Et j'ai rencontré dans les années 1980, à ma consultation, un patient d'une quarantaine d'années qui m'a raconté que, lorsqu'il était en pension, dans son enfance, il devait coudre les poches de ses panta-lons de façon à ne pas pouvoir contacter son « zizi » ; et pour enfoncer les pans de sa chemise dans son pantalon, il devait se servir d'une baguette afin que sa main ne risque pas de rencontrer ledit « zizi ». Des patientes sexagénaires, au cours de ces mêmes années, m'avaient confié qu'en pension, à l'ado-lescence, elles ne pouvaient se laver les « parties intimes » qu'une fois par semaine, sous la chemise de nuit, et à l'eau froide.

Ainsi, dans le cours du xxᵉ siècle, sévissait encore, à l'égard des plaisirs du corps, une certaine répression, combinaison de préceptes religieux et de prescrip-tions médicales. Avec la découverte des microbes, à la peur du péché et à celle des maladies s'ajoute la phobie des microbes. Mais en réalité, en toile de fond, c'est toujours la mâle peur qui tire les ficelles.

LES MICROBES S'EN MÊLENT

On vient en effet de découvrir l'existence des microbes, leurs méfaits, et le phénomène de contagion. Alors les médecins de jouer encore les trouble-fête et les rabat-joie. Au début du XXe siècle, des mesures d'hygiène excessives réduisent les contacts entre la mère et le bébé. Pour ne pas contaminer l'enfant, il faut le toucher le moins possible : ne le prendre dans les bras que ce qui est juste nécessaire, ne pas le nourrir au sein mais au biberon, ne pas l'embrasser, le caresser, le bercer. Il faut absolument éviter que la peau nue de la mère rencontre la peau nue de l'enfant. L'idéal, c'est une séparation radicale entre le corps de l'une et le corps de l'autre, et donc de confier le petit à des nurses revêtues de blouses blanches amidonnées, de le faire dormir dans des « lits-cages », de le promener dans des landaus profonds comme des tombeaux.

Pour en finir avec le corps médical, citons l'influence des théories de Freud à propos de la sexualité. En raison du complexe d'Œdipe, beaucoup de mères se sont retenues de trop câliner leur garçon, par peur de l'homosexualité, beaucoup de pères ont mis un terme à l'intimité déjà trop réduite avec leur fils, les jeux entre gamins ont été observés avec méfiance. En substance, la psychanalyse a elle aussi restreint les contacts. Mais ici encore, sous les arguments psychologiques, on peut penser que se cachaient de vieux principes puritains et d'archaïques peurs.

Les transformations imposées par la société industrielle ont eu des conséquences néfastes sur les relations tactiles entre parents et enfants. Le travail de la mère en dehors du foyer l'obligeant à confier le petit à des crèches ou à des nourrices a réduit les contacts entre l'une et l'autre, de même qu'il a réduit les possibilités d'allaitement (que du reste les médecins n'encourageaient pas). De plus, la disparition de la famille élargie (la coexistence en un même lieu de trois générations, grands-parents, parents, enfants), remplacée par la « cellule familiale » limitée au couple et à sa progéniture, a privé les enfants et les grands-parents de câlins qu'ils pouvaient se faire mutuellement.

Les progrès techniques se révèlent être tout à la fois favorables et défavorables aux caresses. D'une part, la mécanisation et la robotisation du travail dans les champs, à l'usine ou à la maison réduisent le travail manuel et le rendent moins pénible, sauvegardant la sensibilité et la douceur des mains. Mais, inversement, la modernisation, en restreignant le rôle de la main, juste bonne désormais à appuyer sur des touches et des boutons, diminue sa créativité et son habileté. Sans doute ne faut-il pas regretter le marteau et l'enclume, la faux et le moulin à café à manivelle. Mais on peut s'insurger contre un excès de mécanisation qui devient frustrante pour nos mains.

C'est le cas de ces machines à fabriquer des tableaux par pulvérisation de peintures, sans qu'on ait à jouer du pinceau, de ces pétrins domestiques qui fabriquent du pain sans qu'on ait à mettre la main à la pâte, de ces sex-toys qui procurent volupté et orgasmes sans qu'on ait à mettre la main aux fesses. C'est ainsi que les cuisines commencent à ressembler à des usines où, sur des tablettes, s'alignent toutes sortes d'appareils, que les chambres risquent de se transformer en ateliers car les sex-toys et autres accessoires innombrables (il en sort chaque jour de nouveaux) débordent des tiroirs. Mais, me dit une amie qui tient un site de jouets, « ça reste romantique, il y a des pompons roses à mes menottes ». Tiens donc, on attache les mains…

Comme on n'arrête pas le progrès, ce qui est prototype aujourd'hui sera opérationnel demain, tel ce fourreau électronique qui branle de façon irrésistible le pénis introduit ou, *nec plus ultra*, cet appareil qui, en envoyant des influx électriques dans la moelle lombaire, procure des orgasmes fantastiques ; tels ces mannequins bourrés d'électroniques auprès desquels les poupées gonflables font figure de hochets.

Le danger au bout du compte serait l'autosuffisance, l'isolement, la solitude, la séparation radicale de la femme et de l'homme.

LA MAIN OU LES JOUETS

Aux sex-toys, je préfère le « cousu main ». Je considère qu'il vaut mieux, en matière d'érotisme, être artiste ou artisan, la relation n'en est que plus humaine. Pour cela, la nature nous a dotés d'admirables moyens : deux mains, dix doigts, dix ongles, une bouche, deux lèvres, une langue et trente-deux dents. Rien n'est plus sensible, subtil, délié, modulable, ferme et tendre à la fois, chaud ou réchauffable, patient, infatigable (ou presque), et surtout intuitif, voire intelligent, que nos mains et chacun de ses doigts, nos lèvres, notre langue. À ces acteurs principaux, il faut ajouter diverses parties du corps plus ou moins mobilisables qui peuvent se faire caressantes, par exemple le menton, le nez, le front, les oreilles, les bras et les avant-bras, les seins, les pieds…

Il y a aussi un inconvénient au jouet, c'est qu'il habitue à une stimulation par un matériau dur et animé de hautes fréquences ; si bien qu'ensuite le doigt paraît mou et lent et moins apte à procurer du plaisir. Et puis le jouet laisse une impression de « manque ». Une amie me fit un jour cette confidence : « Je me suis décidée à acheter un sex-toy. Formidable ! Dix fois mieux que les mecs ! L'orgasme en quelques minutes et à tous les coups ! » Lorsque je l'ai rencontrée la semaine suivante, elle était moins enthousiaste : « C'est pas complet. Le bonhomme me manque. Ses caresses, ses baisers, ses étreintes, son corps, ses mots, son rire, sa tendresse. Tout, quoi ! »

Toutefois, l'usage du jouet me semble utile en début de carrière sexuelle pour éveiller la muqueuse vaginale, que j'appelle « la Belle au bois dormant » (Gérard Leleu, *Les Secrets de la jouissance au féminin*, Leduc.s Éditions), et pour qui rares sont les Princes vraiment charmants.

RADIEUX PEUT ÊTRE L'AVENIR

Les temps changent, on sort lentement du patriarcat. Des hommes nouveaux apparaissent qui sortent de la mâle peur, qui acceptent et leur femme extérieure et leur femme intérieure, leur féminité ! Vis-à-vis de la femme extérieure, ils ont renoncé à la domination, acceptent l'égalité des valeurs et des droits ; ils n'ont plus peur de sa sexualité, ils l'ont comprise, ils savent la combler (Gérard Leleu, *L'homme nouveau expliqué aux femmes*, Leduc.s Éditions).

Ils accueillent leur femme intérieure, leur féminité car ils ont appris qu'un homme réduit à sa masculinité n'est qu'une « demi-portion ». Ils réussissent à conjuguer leur virilité avec leur part féminine, à marier leur vaillance avec leur tendresse. Ils savent être courageux sur le front du travail et caressants dans le lit. Ce sont des hommes complets (Romain Gary, *La nuit sera calme*, Éditions Gallimard).

Par eux, l'humanité apprend enfin que l'existence ne peut être en permanence une succession d'épreuves de force et que guerres et tortures ne débouchent que sur des victoires éphémères. « Faites l'amour et pas la guerre », ce slogan a pu faire rire ou rêver. Mais à l'avenir, « Faites des caresses et pas de business » ne sera pas un slogan de doux dingues, ce sera une prescription vitale si l'on veut échapper à toutes les menaces qui s'amoncellent.

Le paradis retrouvé dans les bras des femmes ou des hommes sera aussi les conditions de notre survie.

CHAPITRE 6

Les différences
entre la femme et l'homme

À l'évidence, les femmes aiment plus que les hommes recevoir et donner des caresses. Elles en sont plus gourmandes, elles les attendent, elles s'y offrent, elles s'y abandonnent, elles en jouissent avec éclat et s'en réjouissent avec ferveur. Les hommes ne sont pas aussi demandeurs ou donneurs : ils n'en sont pas aussi friands, sauf de cajoleries de leur sexe. Beaucoup, même, refusent de donner ou de recevoir des caresses. C'est du reste l'une des plaintes les plus entendues dans la bouche des femmes.

Pourtant, si on regarde la peau des hommes au microscope, on ne voit pas de différence : ils possèdent le même nombre et les mêmes sortes de récepteurs sensitifs que la femme. J'ai personnellement fait une « expérience » qui révèle que l'homme est très sensible et très doué pour le toucher : lors d'un stage de massages californiens, et pour une séquence déterminée, j'ai demandé aux femmes et aux hommes qui recevaient le massage de se bander les yeux et d'attribuer une note aux mains successives et inconnues qui les massaient. Souvent, la meilleure note revenait à un homme.

Bien entendu, les hommes qui viennent à ces stages sont des « hommes nouveaux », donc des hommes qui ont laissé s'épanouir leur *anima*, c'est-à-dire leur part féminine.

LES EXPLICATIONS CULTURELLES

Comment se fait-il que la majorité des hommes soit réservé à l'égard des caresses ? Cela tient à leur éducation et à leur fonction dans la société, autrement dit, c'est « culturel ». Comme nous l'avons déjà dit, un homme, au nom d'une certaine virilité, se doit d'être un dur, un être non sensible, non tendre ; la caresse est indigne de lui car elle implique tendresse, c'est-à-dire mollesse. D'autre part, les travaux tradition-nellement impartis aux hommes mettent leur peau, particulièrement celle de leurs mains, au contact de matériaux et d'outils rugueux ou l'exposent aux intem-péries – pluie, vent, gel, canicule. La sensibilité de ses téguments s'émoussant, l'homme n'est plus porté aux raffinements.

La femme, elle, non seulement n'a pas à subir les facteurs anti-caresses, mais mieux, elle bénéficie de facteurs pro-caresses : la maternité, d'une part, et les travaux qui lui étaient propres. La maternité est pour elle une véritable école de tendresse et de caresses ; les soins qu'elle doit prodiguer à l'enfant lui permettent la joie des contacts, qui vont jusqu'au corps à corps avec le petit. Ainsi s'aiguise et s'éro-tise sa peau ; ainsi acquiert-elle le droit de vivre et d'exprimer ses sensations. De plus, les travaux tradi-tionnellement impartis à la femme sont plus fins : les soins à l'enfant, la cuisine, la couture. Et ils la mettent au contact de matériaux plus doux : tissus, fruits, aliments divers. Sa sensibilité tactile n'est donc pas altérée. Hélas ! Il existe toutefois des peuplades où les femmes sont chargées de très rudes travaux.

LES EXPLICATIONS PHYSIOLOGIQUES

Chez l'homme, la prégnance de son désir, qui s'exprime dans son pénis par des érections impérieuses, lui fait brûler les étapes, il a envie d'un orgasme aussi vite que possible. En outre, son érection n'étant jamais garantie durable, il craint qu'une séquence de caresses, données ou reçues, ne le fasse débander. Pourtant il devrait savoir que sa partenaire pourra toujours relancer la bandaison par quelques caresses digitales ou buccales.

En voulant jouir dans les plus brefs délais, l'homme joue contre lui-même car, après l'éjaculation, il entre dans une phase réfractaire où son désir et son érection se réduisent, tandis qu'une tendance à dormir l'envahit. Après une deuxième éjaculation, les phénomènes réfractaires s'aggravent. Après une troisième, le désir et l'érection sont plus réduits encore et le besoin de repos plus grand. Seuls y échappent les hommes entre vingt et trente ans, ou ceux qui sont pourvus d'une très puissante libido. C'est pourquoi l'homme a intérêt à maîtriser son éjaculation automatique et à effectuer ce que j'appelle « la caresse intérieure », que nous décrirons ultérieurement.

Il faut d'ailleurs savoir que cette éjaculation rapide n'est pas une tare, c'est la nature qui l'oblige à remplir son rôle : assumer impérativement la reproduction de l'espèce. Il est doté pour cela d'un programme génétique qui lui vient de la préhistoire et, plus précisément, de l'ancêtre commun que nous partageons avec les singes, et qui lui impose un certain comportement. Pour le connaître, observons les chimpanzés : on les dit nos cousins, c'est bien plus : 99 % de notre patrimoine génétique est semblable à celui du chimpanzé, le 1 % fait l'homme. Quand il veut saillir sa femelle en rut, le mâle descend d'un arbre, la saute en vingt mouvements et trente secondes et remonte dans son arbre. Cette rapidité lui permet d'échapper aux prédateurs qui rôdent.

CONSÉQUENCES

On comprend mieux pourquoi la femme aime les caresses. Sa sensualité et son éroticité sont étendues : en plus de son sexe, toute la surface de sa peau est sensible, si sensible que les caresses peuvent lui procurer un seuil de bien-être voisin de l'euphorie et qu'elle peut même atteindre l'orgasme. Ainsi, la femme a pour terrain de jeux et de bonheur les 18 000 centimètres carrés de son épiderme quand celui de l'homme – ancien – se rétrécit aux quelques centimètres carrés de son sexe.

RÊVES DE FEMMES

Beaucoup de femmes sont découragées et lasses en ce qui concerne la relation sexuelle avec l'homme. Elles ont la douloureuse impression de n'être qu'un trou, ou plutôt des trous, car elles s'aperçoivent de plus en plus que l'homme convoite leur anus autant que leur vagin (« un trou c'est un trou », m'a déclaré un ado).

Par ailleurs, en ne s'adressant qu'à leur vagin (hormis l'anus), un espace qui ne donne pas automatiquement de sensations époustouflantes ni des orgasmes, les hommes leur laissent à penser qu'elles sont frigides, ce qui les dévalorisent profondément et injustement parce que l'ensemble de leur corps fourmille de désirs et de plaisirs.

Elles rêvent d'autres choses que de gymnastique sexuelle, de performance, de compétition. « Elles rêvent d'être touchées avec intelligence, de se sentir légères et belles entre des mains attentives » (Christian Hiéronimus, *La Sensualité du toucher* et *L'Art du toucher*, édition Le Souffle d'or. La caresse permet à leur corps de reprendre la parole et à elles-mêmes de se réapproprier leur corps.

« Coïter c'est faire l'amour, caresser c'est faire de l'amour…

Le désir est bien plus vaste que le désir sexuel, c'est une faim de l'autre, de sa peau. »

Christian Hiéronimus

CHAPITRE 7

Réflexion sur la femme actuelle

La femme actuelle, et particulièrement sa sexualité, semble être souvent mal connue de l'homme, et donc insatisfaite. Cette réflexion s'appuie sur des confidences, des lettres, des discussions avec mes consœurs et mes confrères thérapeutes. Elle s'est imposée à moi lorsqu'il s'est agi d'écrire ce *Nouveau Traité des caresses* : les femmes de maintenant seraient-elles encore intéressées par ma façon « poétique » – à vrai dire « humaniste » – de concevoir et de traiter ce thème ?

ÊTRE SUJET

Ce que déteste plus que jamais et plus que tout la femme, c'est d'être prise par l'homme pour un objet de sa propre et unique satisfaction. Ce qui la désespère, c'est d'être utilisée par l'homme pour sa seule jouissance. Elle ne veut plus être la cible de prédateurs qui n'en veulent qu'à ses seins, ses fesses, son sexe. Jamais elle ne s'abandonnera à ceux qui ne voient en elle qu'un morceau de viande. Elle peut, par choix, dans le cadre d'une vraie relation, s'amuser à être objet ; mais c'est un jeu, et c'est elle qui en décide.

Ce qu'elle veut, c'est être sujet, c'est-à-dire regardée avec considération, respect sinon avec amour, se voir belle dans le regard de l'autre. Elle veut aussi être regardée avec désir mais d'un regard bienveillant, valorisant, rassurant. Et elle veut être écoutée avec attention.

Elle veut que la relation sexuelle soit justement une relation, une rencontre, et non une course au plaisir extrême. Elle veut qu'il y ait partage de sentiments comme de sensations. Elle veut que l'homme soit présent – quand il me fait l'amour, se plaint une adolescente, il a le regard ailleurs, comme s'il cherchait à appliquer une technique vue dans un film porno.

UNE DIMENSION

Elle déteste les actes mécaniques, la gymnastique pour la gymnastique. Elle déteste cette vision quantitative de la sexualité qui caractérise notre époque (quantité de plaisir, fréquence des rapports, nombre d'orgasmes, etc.). Elle veut se situer dans la qualité.

Elle aime que tout le corps, et pas seulement le sexe, participe à la rencontre ; que tous les sens soient à la fête, qu'il y ait des couleurs, des odeurs, un décor. Elle veut autant de sensualité que de sexualité. Elle veut des nuances, du clair-obscur, du mystère, du dévoilement. Elle veut une mise en scène. Elle est dans l'érotisme, pas dans le porno. C'est cela sa dimension poétique, pas les fleurs et les petits oiseaux. Elle rêve même de beaucoup plus : que l'union soit un accès au sacré. Elle a un besoin de sacralisation. Son nouveau romantisme, c'est de pouvoir conjuguer la sexualité et le sacré (Alain Héril, *Femme épanouie*, Essais Payot).

Elle peut aussi « jouer au sexe », chercher le plaisir, franchir des transgressions – se faire dominer, dominer, être agressive, « faire l'homme » –, mais c'est elle qui le décide.

AMOUR TOUJOURS

La femme actuelle, la dernière enquête de l'Inserm le confirme (Enquête C.S.F., « Contexte de la sexualité en France », mars 2007), peut faire l'amour sans amour et en tirer du plaisir. Il y a des femmes qui jouissent avec un homme qu'elles n'aiment pas et ne jouissent pas avec l'homme qu'elles aiment ; mais dans ce cas, elles préfèrent vivre avec ce dernier. Toutefois, l'idéal serait d'associer toujours l'amour et le plaisir.

S'allier à un homme par amour n'est pas un stéréotype dépassé. L'amour demeure ce qu'il y a de plus important dans la vie d'une femme. Ne pas avoir connu le « grand amour » ou de ne pas avoir donné plus d'importance à l'amour, c'est le grand regret des femmes qui ont donné la priorité à leur carrière (regret partagé par les « hommes d'affaires »). Et le regret des femmes qui se sont adonnées à la recherche de la quantité maximale de plaisir par toutes sortes de pratiques sexuelles (amour pluriel, échangisme, sado-masochisme, etc.) et pour toutes sortes de raisons : par curiosité, par besoin de se prouver leur liberté, leur émancipation, voire par désespoir de ne pas trouver l'amour dont elles rêvent ; ces femmes sont déçues, ou pis, perturbées.

Cela dit, la femme considère que la « réussite sexuelle » fait partie de la réussite personnelle. Mais sous la pression, voire sous le terrorisme de l'homme, elle croit que réussir dans ce domaine c'est avoir des orgasmes à tous les coups et, bien sûr, des orgasmes vaginaux provoqués par la pénétration du pénis. Or des orgasmes vaginaux de cette sorte, seules trois femmes sur dix en ont (Gérard Leleu, *Les Secrets de la jouissance au féminin*, Leduc.s Éditions). D'où la frustration des femmes, leur amertume, et surtout leur injuste dévalorisation – « Je ne suis pas à la hauteur » –, injuste parce que non fondée :

Des orgasmes, les femmes en ont, et aussi facilement, peut-être même plus que l'homme. Leur clitoris leur en procure quasi automatiquement par la grâce de leurs propres doigts ou de ceux d'un homme ou d'une autre femme. Donc, qu'on cesse de dire d'une femme qui n'a pas (encore) d'orgasme par coït qu'elle est « anorgasmique ». Elle connaît parfaitement l'orgasme et, dans le domaine précis du coït, elle est « préorgasmique » ; car nous le verrons, toute femme peut acquérir l'orgasme vaginal.

L'orgasme ne constitue qu'une phase de la relation sexuelle. Outre le plaisir orgasmique, il existe le plaisir-jouissance, infiniment plus étendu dans l'espace et le temps, et donc plus important. Réussir sa vie sexuelle, ce n'est pas accumuler les orgasmes. Rechercher l'orgasme ne doit pas être une priorité, étendre le plaisir à tout le corps par la caresse est plus comblant. Avoir des orgasmes mais le corps vide de caresses, c'est décevant. Mais il y a pis : avoir des orgasmes et pas d'amour.

TOUJOURS LA MÂLE PEUR

Les femmes actuelles se plaignent de l'attitude paradoxale des hommes : ils veulent qu'elles jouissent, mais si elles jouissent « trop », et surtout si elles demandent « trop », ils sont inquiets voire même ils la « jugent mal ». De bonne amante à putain, la frontière est mince ! Aussi beaucoup d'hommes renoncent à s'engager avec une femme qu'ils trouvent trop « chaude » par peur de ne pouvoir la satisfaire, ou par peur d'être trompé. En conséquence, certaines femmes disent devoir être vigilantes à ne pas se laisser trop « aller » pour ne pas effrayer l'homme, ou bien à jouer la mama pour les rassurer. On pensait que l'homme avait dépassé la dialectique « madone-putain ». Ce n'est pas le cas de tous, apparemment.

Enfin, il y a chez la femme actuelle une recherche d'évolution qui inquiète beaucoup l'homme : devenir « une femme sauvage » (Clarissa Pinkola Estés, *Femmes qui courent avec les loups*, Éditions Grasset). L'homme aussitôt d'imaginer une sorte de femme vivant dans les bois, ignorant la civilisation, dévoreuse de mâles. À vrai dire, une femme sauvage, c'est une femme qui ne veut plus se contenter d'exister dans l'intellect, mais qui veut être reliée à sa dimension instinctive, son intuition, ses émotions, ses sensations, et qui a une perception plus profonde et plus fine de son corps et de la nature. L'acte sexuel est alors pour elle une danse, et non une lutte entre deux corps. C'est dans la profondeur et la puissance de l'instinct naturel qu'elle trouvera plus facilement l'élan, la beauté et la spiritualité.

PARTIE IV

LES BUTS DES CARESSES

CHAPITRE 1

La jouissance

Le but des caresses est d'offrir des plaisirs et les bien-faits attachés à ceux-ci (détente, recharge d'énergie, etc.). Encore faut-il distinguer deux sortes de plaisirs : **la jouissance** et **l'orgasme**. La définition de chacun se fait par rapport à l'autre.

La jouissance est un plaisir d'intensité moyenne, d'installation progressive et de durée longue. L'orgasme est d'une intensité extrême, de survenue soudaine et de durée brève ; c'est un plaisir « explosif » ou « séismique ». Le dictionnaire Robert en douze volumes le définit comme le « degré le plus haut d'une excitation physiologique et spécialement de l'excitation sexuelle ».

Si je tiens à faire cette distinction qui n'est ni subtile, ni artificielle, c'est pour protéger les êtres du terrorisme de l'orgasme, de la « pensée unique » – il n'est de plaisir que d'orgasme –, et qu'ils puissent profiter plus largement de toutes les variétés de voluptés qu'offre la rencontre de deux corps désirant et aimant.

QU'EST-CE QUE LA JOUISSANCE ?

Je vais utiliser le terme dans son sens large et originel de « plaisir intense », et non dans le sens restreint de plaisir orgasmique. « La jouissance, dit ce même dictionnaire, est un plaisir réel et intime que l'on goûte pleinement » ; il précise que le terme s'applique aussi bien à l'âme et à l'esprit qu'à la chair et aux sens et que, en ce qui concerne ceux-ci, jouissance est synonyme de volupté.

De même, je vais employer le terme de « jouir » dans son sens premier, « Jouir, dit le dictionnaire, c'est éprouver un vif plaisir », et non, dans son sens restrictif, « éprouver un orgasme ».

SOURCES DE JOUISSANCES

La jouissance est le résultat d'une stimulation sur un mode agréable d'un ou de plusieurs organes des sens : le toucher, l'odorat, le goût, la vue et l'ouïe. Pour ce qui est du toucher, la caresse peut concerner toute l'étendue de la peau, y compris celle qui revêt les organes sexuels et les seins. Toutes ces zones sont érogènes, c'est-à-dire dispensatrices de plaisirs, mais certaines le sont plus intensément et peuvent procurer plus qu'une « simple » jouissance, un plaisir orgasmique ; c'est justement le cas des seins et surtout des organes sexuels, principalement dans leurs parties pourvues de corpuscules de la volupté de Krause (le clitoris et le gland du pénis). Ce qui ne veut pas dire qu'on ne doit pas les caresser, mais qu'il faut être vigilant à ne pas atteindre le seuil d'excitation au-delà duquel l'orgasme se déclenche inévitablement. Dans ces conditions, les caresses des zones sexuelles (vulve, vagin, pénis) peuvent se vivre sur le mode de la jouissance, et non comme une excitation en vue d'obtenir un orgasme, comme c'est le cas habituellement. Mieux, on peut pratiquer un coït et se situer dans la jouissance sans viser l'orgasme. C'est le cas, en particulier, de la « caresse intérieure », comme nous le verrons ultérieurement.

LA JOUISSANCE EN ELLE-MÊME

La jouissance existe en soi et pour elle-même. Elle n'est pas automatiquement et systématiquement une phase d'excitation préparatoire à l'acmé, comme le laisserait croire la description du déroulement cyclique de l'acte sexuel adopté par les sexologues à la suite de Masters et Johnson :

- *Phase 1 :* le désir (début d'intumescence et de lubrification)
- *Phase 2 :* le plaisir montant, ou phase d'excitation, (intumescence et lubrification croissante)
- *Phase 3 :* le plaisir en plateau (maximum d'érection et de lubrification)
- *Phase 4 :* l'orgasme
- *Phase 5 :* la détente

Ce schéma est un canevas patriarcal, voire machiste, dans lequel le plaisir des sens n'est qu'une excitation destinée à aboutir à l'éjaculation et, au-delà, à la reproduction.

La jouissance est un plaisir qui relève plus de la sensualité que de la sexualité. Parce qu'elle met en jeu l'ensemble des sens, comme on l'a vu – être dans les bras de son amoureux ou de son amoureuse c'est sentir son étreinte, sa chaleur, c'est respirer ses fragrances, c'est entendre sa voix, c'est goûter ses baisers –, parce qu'elle est de l'ordre de la dégustation, de la délectation, de la flottaison, du bain. Les corps ne sont pas raptés, ils sont ravis. L'être n'est pas ivre mais en béatitude.

L'homme, dans sa version ancienne, est moins apte à la jouissance que la femme. Chez lui, la prégnance de son érection, du besoin d'orgasme est trop grande, et la peur de perdre ladite érection si on est par trop distrait des « choses sérieuses » par toutes sortes d'amusements. Il lui est donc beaucoup plus difficile d'être sensuel que sexuel.

« Ce dont notre corps a faim, même si nous nous sommes fait une raison, c'est de se sentir exister, d'être nourri d'une rare attention. Le besoin primordial n'est pas la sexualité. »
« S'ils ne sont pas a priori impuissants sexuellement, les hommes le sont sensuellement. L'obsession de la "quéquette" les amène à manquer singulièrement d'imagination. »
La Sensualité du toucher, Christian HIÉRONIMUS

LES PRÉCEPTES DU SENSUALISME

Pour obtenir la quintessence de la jouissance, il faut connaître quelques règles du jeu :

Vivre l'instant présent. Si notre esprit est projeté vers l'avenir – ses projets, ses soucis – ou retenu dans le passé, nous ne pourrons profiter de toute l'intensité de la sensation présente. Dites, comme Faust, à la minute qui passe, « arrête-toi, tu es si belle ! »

Soyez conscient à ce que vous faites et sentez. Suspendez l'automatisme de vos gestes, soyez tout à fait à vos sensations. « Bien voir ce que vous regardez, bien sentir ce que vous touchez, bien écouter ce que vous entendez », conseillait le docteur Vitoz, inventeur de « l'acte conscient ».

Abandonnez-vous, lâchez tout. Laissez le plaisir prendre possession de vous et que votre volonté abdique sa domination sur votre corps. « Je ne sentais parfois plus à mon corps de limite… voluptueusement il devenait poreux comme du sucre. Je fondais. » André Gide, *Les Nourritures terrestres*, Éditions Gallimard.

Prenez le temps. Au « *time is money* », opposez le temps de vivre. La vitesse est contraire à la volupté, le « *fast* » à la sensualité.

Concentrez-vous plus spécialement sur un sens. Certes, les échanges entre les corps nous apportent une corbeille de sensations, mais choisissez tour à tour l'une d'entre elles et dégustez-la à fond comme si elle était unique.

CHAPITRE 2

L'orgasme : bienfaits et méfaits

Orgasme vient du grec *organ*, bouillonner ardemment. C'est un plaisir extrême, un summum de plaisir. Il survient après la stimulation d'une zone hyperérogène (clitoris, vagin, pénis), durant une phase d'excitation plus ou moins longue. Son déclenchement est soudain, sa durée brève (quelques secondes, plus en cas de « transes », succession itérative d'orgasmes propres à la femme). Il irradie autour de son lieu d'éclatement et souvent envahit tout le corps. Il est suivi d'une profonde détente. Il s'accompagne d'une importante modification de la conscience.

Chez l'homme, l'orgasme se produit automatiquement dès que l'on stimule le gland pénien. Mais il ne peut se renouveler autant de fois qu'il le veut : l'explosion est suivie d'une phase de détente au cours de laquelle l'homme est dans un état dit « réfractaire » : son désir, son érection se réduisent, et une sorte de fatigue, de somnolence l'envahit. S'il a une deuxième éjaculation, les effets négatifs s'accroissent. À la troisième, c'est pis encore.

Chez la femme, **l'orgasme clitoridien** est également de survenue quasi automatique, mais l'orgasme vaginal est plus difficile à obtenir pour la majorité d'entre elles. Mais qu'il soit clitoridien ou vaginal, **l'orgasme féminin** peut se répéter de façon illimitée, c'est la capacité multi-orgasmique de nos compagnes. En plus d'avoir deux pôles sexuels, la femme a la chance de pouvoir obtenir de certaines zones cutanées des plaisirs d'un niveau orgasmique : de ses mamelons ou de ses lobules par exemple.

CHARGE ET DÉCHARGE

Le phénomène orgasmique fonctionne sur ce mode charge-décharge, autrement dit accumulation-explosion. La stimulation d'un point érogène provoque un plaisir ; si la stimulation se poursuit, les plaisirs s'enchaînent, croissent et s'accumulent ; à un certain seuil, un plaisir fantastique, plus grand que la somme des plaisirs additionnés, surgit. C'est un phénomène analogue à celui du fonctionnement d'un condensateur : les charges successives accumulent de l'énergie, lorsque la sommation atteint un certain seuil l'appareil se décharge, libérant une énergie considérable.

Au niveau du périnée, l'orgasme s'accompagne d'une série de contractions rythmiques des muscles, en particulier du muscle pubo-coccygien, dit « muscle du bonheur ». Il se produit de 4 à 14 contractions brèves, séparées par un intervalle de 0,8 seconde. Le phénomène est identique chez la femme et chez l'homme.

LES BIENFAITS DE L'ORGASME

Le plaisir orgasmique offre de nombreux bienfaits. Tout d'abord, c'est un plaisir, et le plus intense qu'un humain puisse connaître. Il est ressenti de multiples façons par les êtres, et les descriptions sont d'une infinie variété (Gérard Leleu, *Le Traité des orgasmes*, Leduc.s Éditions). On y retrouve le plus souvent des sensations d'explosion, d'embrasement, d'éblouissement, de battements ; ainsi que des sensations de spasmes, de contractions, de vibrations, de pulsations, de lumière étincelante, de poussière d'or, de couleur vive, etc. Il arrive que le plaisir ne prenne pas une forme paroxystique mais une tournure plus douce. « De sentir mon mari en moi, d'être remplie par lui me comble de délices, je flotte dans une douce euphorie. »

Autres bienfaits de l'orgasme, qui sont des bienfaits « collatéraux » du phénomène plaisir et qui succèdent à l'acmé : une profonde détente, une douce euphorie, une humeur joyeuse et un regain d'énergie. En d'autres termes, l'orgasme est sédatif, anxiolytique, thymoanaleptique et réénergisant.

Un degré de plus et c'est carrément une modification de niveau de conscience que procure l'orgasme, un état de conscience supérieure qu'on peut appeler expansion de conscience ou « extase ». Celui-ci survient lorsque la relation sexuelle s'est déroulée dans les meilleures conditions : dans une considération réciproque des partenaires, avec raffinement, et en prenant son temps. Il ne peut se produire dans les actes expéditifs et dénués de sens, du style « tirer son coup ». C'est une donnée immédiate de la conscience, c'est-à-dire qu'il arrive sans aucune initiation aux gens les plus simples. Encore faut-il qu'ils soient avertis que ce qu'ils ressentent n'est pas péché et qu'ils peuvent l'accueillir et y être attentif. Bien entendu, si l'on a adopté les « préceptes » du tantrisme ou de la « caresse intérieure », on percevra cet état de conscience dans sa plus grande plénitude.

Cet état, décrivons-le. Il est fait :

- D'un grand bonheur, une félicité suprême mais douce : une béatitude.
- De l'abolition de la notion d'espace et de temps.
- D'un sentiment d'amour océanique : on aime notre partenaire et tout ce qui nous entoure. On aime nos voisins, on aime le monde entier.
- D'un sentiment d'ouverture et d'appartenance à l'univers. Notre ego, notre petit moi se dissout, nous sommes comme en expansion de nous-mêmes.
- D'une impression d'illumination intérieure que nous voyons transparaître sur le visage de l'autre. « Ce n'est pas à un corps que l'on fait l'amour, c'est à un visage. Ce n'est pas à un visage, c'est à la lumière sur ce visage » (Christian Bobin, *La Part manquante*, Éditions Gallimard, collection Folio).

Nous verrons à la fin que cette modification de conscience peut nous donner accès au sacré.

L'orgasme est porteur d'un autre bienfait : il permet d'évacuer les traumatismes psychiques anciens, en particulier les traumas de l'enfance comme le manque d'amour, l'humiliation, l'injustice, les coups, l'inceste. C'est le mode **paroxystique du plaisir** qui opère un effet cathartique sur les traces mnésiques et organiques de la blessure. Il s'agit d'un phénomène d'« abréaction ».

Dernier bénéfice de l'orgasme, selon Wilhem Reich (*La Fonction de l'orgasme*, L'Arche éditeur, 1923) : l'orgasme a pour fonction, « grâce aux contractions involontaires et agréables des muscles du corps de faire circuler l'énergie biologique qui s'était accumulée dans les organes sexuels ». L'énergie sexuelle, qui a sa source dans les organes sexuels, est la principale énergie de vie, qui nourrit l'activité vitale et le fonctionnement psychique. La santé physique et psychique dépend de sa libre circulation. Lorsque la sexualité est réprimée (et Reich en accusait l'économie capitaliste, qui s'oppose à tout ce qui nuit à la production), le sujet se défend de ses pulsions et de ses émotions en contracturant ses muscles : il se forme alors une « cuirasse caractérielle » qui bloque la circulation de l'énergie, d'où une réduction de l'aptitude à vivre et une création de névroses qui, à leur tour, entretiennent les contractures. Le traitement de ces névroses lève les contractures et libère la circulation de l'énergie. L'orgasme retrouve alors son rôle de décharge des énergies accumulées en excès, lesquelles sont restituées à l'activité vitale.

LES MÉFAITS DE L'ORGASME

C'est particulièrement chez l'homme que l'orgasme a des effets négatifs, surtout quand il s'accompagne d'éjaculation. Déjà les anciens Chinois, quelques centaines d'années avant notre ère, avertissaient que la semence d'un homme est ce qu'il a de plus inestimable, la source de sa santé et même de sa vie : « Il faut considérer la semence masculine comme la substance la plus précieuse ; en l'épargnant, c'est sa vie même que l'homme protège. Après l'émission, le corps de l'homme est fatigué, ses oreilles bourdonnent, ses yeux sont alourdis, ses articulations disjointes » (Chan-Kou-San Kaï, *Manuel de la seconde époque Tchow*, 500 ans avant Jésus-Christ). C'était aussi l'opinion d'Hippocrate. Un médecin du XVIIe siècle, Scipion Duplex, confirme : « Par la trop fréquente émission et profusion de semence ils incommoderaient leur santé et abrégeraient leur vie. » Au XIXe siècle, les médecins se font un devoir d'enseigner aux hommes « la gestion du sperme ». « C'est le gaspillage de ce précieux liquide qui obscurcit le cerveau de l'homme, épuise son énergie et réduit sa vitalité », écrit le docteur Luteaud.

C'est en raison de ce constat que les hommes de l'Orient avaient inventé la maîtrise de l'éjaculation, associée du reste à un retournement de l'énergie vers la colonne vertébrale et le cerveau (d'autant qu'ils avaient de nombreuses concubines). Et aussi pour satisfaire la femme, dont l'orgasme n'apparaît qu'après un certain temps de pénétration.

Qu'en est-il réellement des méfaits de l'éjaculation ? Il est vrai que, trop fréquemment renouvelée, elle fatigue l'homme, en dissipant de l'énergie et en soustrayant des oligoéléments, du zinc entre autres, et des protéines. C'est sans doute pour limiter le nombre d'éjaculations que la nature a inventé, chez le mâle, la phase réfractaire.

En ce qui concerne la femme, son orgasme, qu'il soit clitoridien ou vaginal, n'a pas d'effets négatifs ; n'ayant pas de phase réfractaire, elle peut renouveler son acmé plusieurs fois. Raison de plus pour l'homme de lui offrir une pénétration prolongée.

En vérité, chez la femme, en matière d'orgasme, les méfaits viennent de « l'orgasme raté » ou de l'absence totale d'orgasme vaginal. L'orgasme raté, c'est lorsqu'une femme souhaite l'orgasme, s'en approche, et que soudain son partenaire brise cet élan : dans le cas d'une stimulation clitoridienne, en arrêtant celle-ci ; dans le cas d'une pénétration vaginale, soit en ayant une éjaculation qui abrège l'union, soit en n'exerçant pas les bons mouvements. La femme aussitôt ressent des troubles psychiques – irritation, tristesse, amertume, angoisse, ressentiment envers l'homme – et des troubles organiques – douleurs vaginales, utérines, pelviennes, par contractures des muscles, spasmes des fibres musculaires lisses des viscères et congestion des organes où le sang avait afflué. Si les ratages se répètent, les troubles psychiques peuvent se pérenniser et même se transformer en dépression, les troubles organiques peuvent devenir chroniques et se transformer en véritables maladies douloureuses (vaginite, cystite, métrite, ovarite). Des conflits surviennent et se multiplient dans le couple et une mésentente s'installe. Le désir chez la femme finit par ficher le camp, ce qui aggrave la situation. La cohésion du couple se délite. Ou ils resteront ensemble sans joie, ou ils se sépareront dans la peine.

Quand on parle d'absence d'orgasme, nous parlons d'orgasme vaginal par pénétration du pénis, car par stimulation du clitoris, l'orgasme est quasi toujours au rendez-vous, comme nous le verrons ; cette absence touche sept femmes sur dix ; elle n'est pas irrémédiable, nous y reviendrons également ; mais tant qu'elle existe, elle entraîne des méfaits : la femme est frustrée, ce qui peut entraîner les mêmes complications que l'orgasme raté : des troubles psychiques et physiques et des conflits dans le couple. Mais, en plus, elle se sent dévalorisée ; le terrorisme de l'orgasme lui fait accroire qu'elle ne serait pas une « vraie femme ». L'homme, de son côté, peut la mésestimer ou se mésestimer lui-même – « je ne suis pas un bon coq ». C'est dire les disputes qui s'ensuivent. Et le dépérissement, par manque de plaisir, chez la femme.

Dans ces deux cas, l'obsession de l'orgasme met en jeu le couple et la santé de chacun, alors que la pratique d'une bonne jouissance les maintiendrait unis et heureux.

Enfin, dernier méfait de l'orgasme : il peut être cause de stress, de tension et d'émotions négatives. Le déchaînement physique de l'acte sexuel ordinaire constitue en soi un stress : les mouvements sont violents, le cœur s'emballe jusque 130 voire 160 pulsations par minute, le rythme respiratoire s'accélère jusque 30 ou 35 fois par minute, la pression artérielle peut monter de 4 à 6 points. Le stress est doublé par toutes sortes d'émotions néfastes : tension nerveuse, appréhension de ne pas « savoir y faire », peur de ne pas réussir à atteindre l'orgasme et d'être mal jugé, de décevoir, d'être mal aimé. L'orgasme peut être vécu comme une épreuve. Alors, si le stress se renouvelle, il peut provoquer les maladies qui lui sont habituellement liées : des troubles psychiques, de l'hypertension artérielle, des extra-systoles, des troubles digestifs, etc.

CHAPITRE 3

Le tantra, ou priorité à la jouissance

Leurs femmes portaient de splendides bijoux, leurs maisons comportaient une salle d'eau et un autel des ancêtres, leurs villes des aqueducs et des théâtres : il s'agissait des Dravidiens de la vallée de l'Indus. Quatre mille ans avant notre ère, ils constituaient l'une des plus florissantes civilisations. Vinrent les hordes d'Aryens, nomades pillards surgis des steppes d'Europe centrale, et quelques inondations, quelques déluges, et c'en fut fini d'eux.

Mais ce qu'ils ont inventé de mieux nous est parvenu : **le tantrisme**, et plus particulièrement la conception tantrique de la sexualité. Conception qui se répandit dans toute l'Asie et sera le noyau d'autres érotismes sacrés comme celui du taoïsme et celui de l'hindouisme. Par la suite, le tantrisme sexuel influencera d'autres civilisations et à toutes les époques. Les premiers chrétiens, paraît-il, pratiquaient l'érotisme tantrique. Plus tard, au XIXe siècle, le mouvement « carezza » s'en inspirera. Aujourd'hui, le tantra connaît une vogue étonnante.

Par rapport à la caresse, trois idées propres à l'érotique tantrique retiennent mon attention : la prédominance donnée à la jouissance, la juste place assignée à l'orgasme et la recherche d'un sens.

L'UNION TANTRIQUE

La simple description d'une union sexuelle tantrique est révélatrice. Elle se déroule comme un véritable rituel qui permet d'accomplir l'acte dans la perfection ; et c'est une sorte de célébration qui permet de vénérer sa ou son partenaire, incarnation de la divinité. D'abord, les aimants partagent un repas léger mais raffiné. Puis l'aimé trace un Yantra, un cercle symbolique où s'inscrira l'union, il y étale des nattes, y dispose des coussins, le parsème de pétales de fleurs, il brûle de l'encens, allume des bougies. Puis l'aimée se met à danser. Quand elle a terminé, les aimants se dévêtent et s'adorent, au vrai sens du terme : la beauté d'un corps nu est considérée comme une manifestation du divin. Ils se caressent longuement et se donnent des baisers.

Enfin vient l'union sexuelle, la maithuna, qui se déroule comme une méditation, dans un état de réceptivité totale, afin d'accueillir le plus de sensations possible. Les aimants sont en position de « lotus », la femme assise sur les cuisses de l'homme assis et lui faisant face. Ils ne bougent pas ou font peu de mouvements, et toujours très lents et en harmonie. Leurs respirations sont synchrones mais en alternance : quand l'un inspire, l'autre expire, et réciproquement.

LA MAÎTRISE DE L'ÉJACULATION

C'est l'autre grande idée de l'érotique tantrique, qui présente plusieurs avantages :

Elle permet à la femme d'accéder à l'orgasme-extase : d'ordinaire, la brièveté de survenue de l'éjaculation ne laisse pas à la femme le temps de parvenir au seuil de volupté qui déclenche l'orgasme ; la prolongation de l'union va le permettre. Elle lui permet aussi de répéter son orgasme.

Elle évite à l'homme la phase réfractaire qui suit son éjaculation, laquelle est marquée par une baisse de son désir et de son érection, et par une certaine fatigue. Et elle lui offre un plaisir plus grand : d'une part, la jouissance d'être à l'intérieur de son aimée et de s'y promener ; d'autre part, au moment où il retient son éjaculation, un plaisir fort, mais non séismique, comme l'orgasme ordinaire, plaisir non suivi de la phase réfractaire, et donc renouvelable à l'infini. Contrairement à ce qui se passe au cours de l'orgasme habituel, qui permet à l'énergie d'exploser, ici l'énergie est conservée et dirigée par la pensée vers le cerveau, c'est « l'inversion érotique ». Elle s'y transformera en extase splendide appelée « illumination », ou « éveil ». L'union sexuelle est une forme de yoga qui permet de transcender le petit moi et d'accéder à l'état de « non séparation ».

Sans aller plus loin qu'il n'est nécessaire ici dans le tantrisme, il est important de savoir que la femme est l'incarnation de Shakti, l'éternel féminin, et l'homme de Shiva, l'immuable masculin, et que, lorsqu'ils s'unissent, ils reforment la déité suprême, unité faite d'un pôle féminin qui engendre en permanence l'univers et d'un pôle masculin qui inspire cette création. L'union sexuelle est plus qu'un acte spirituel, c'est un acte cosmique.

CHAPITRE 4

La Carezza, l'amour toujours

L'érotique tantrique va avoir une résurgence étonnante, aux États-Unis, au XIXe siècle puis au XXe siècle. Les mouvements qu'elle va inspirer vont mettre plus encore l'accent sur la jouissance ; quant à l'orgasme, ils vont même jusqu'à l'exclure.

LA SANTÉ PAR LA JOUISSANCE

En 1848, John Humphrey Noyes, diplômé de l'école de théologie de Yale, fonde une communauté à Oneida, État de New York (Revue *Nexus* n° 51, juin 2007). Peu de temps après, sa femme tombe enceinte et risque de mourir ; désormais, toute grossesse la mettrait en danger de mort. Noyes utilise comme contraception l'union sexuelle sans éjaculation, qu'il perfectionne par le don réciproque de multiples caresses avant, pendant et après, afin de compenser le plaisir de l'orgasme, auquel il renonce, ainsi que sa femme.

Il constate alors les nombreux bienfaits que lui confère, de même qu'à sa femme, cette pratique : ils sont détendus, plein d'énergie, et leurs liens sont renforcés. Il en fait une méthode, non pas de contraception, mais de bonne santé pour lui et sa communauté.

Dans les années 1920, William Lloyd découvre la méthode de Noyes, il en confirme les immenses bienfaits sur lui-même, sur sa femme et sur leurs proches. En 1931, il publie *Karezza, l'art de l'amour* ; il donne ainsi un nom à la méthode et en expose les bénéfices. Il décrit la satisfaction des deux partenaires au cours de l'union, faite d'un coït lent et long, précédé, agrémenté et suivi de moult caresses. Il cite : la douceur, la paix intérieure, le bien-être, la joie, la bonne humeur, le bonheur, l'euphorie, même ; il parle « d'enchantement ». Il souligne la « vigueur formidable » qui s'ensuit et le « rayonnement d'énergie ». Les effets durent plusieurs jours et deviennent permanents si on renouvelle la Carezza. Quant au désir d'orgasme, il ne pose pas de problème car il disparaît bientôt. Cette Carezza dure au minimum une heure. Elle se donne le matin ou le soir ou matin et soir, tous les jours. On peut l'accomplir sans bouger.

Dans les années 2000, toujours aux États-Unis, Marnia Robinson, d'une part, et Gary Wilson, d'autre part, redécouvrent la méthode Carezza. En 2003, Marnia Robinson publie *La Paix entre les draps, la santé par les relations sexuelles*. Ensemble, ils créent le site Internet www.rewriting.info

LA MERVEILLEUSE IDÉE DE CHANSON

En 1951, en France, le docteur Paul Chanson fait paraître *L'Étreinte réservée* (Éditions du Levain), une œuvre dans laquelle il est question d'une méthode de contraception, dite encore *copula reservata*. Il s'agit exactement de la maîtrise de l'éjaculation avec renoncement à l'orgasme, tant pour l'homme que pour la femme. L'origine tantrique est évidente, comme le prouve l'autre appellation de la pratique, « l'étreinte à l'orientale » ; du reste, Chanson avait connaissance de l'expérience d'Oneida. Le but de ce médecin catholique était de proposer une méthode de contraception qui pourrait être acceptée par l'Église.

À l'époque, cette dernière avait admis la méthode Ogino, dite de « continence périodique », fondée sur la connaissance des jours d'ovulation ; méthode si peu sûre que les bébés Ogino pullulaient. Hormis cela, l'Église n'avait à proposer qu'une « abstinence ascétique » ; elle condamnait toutes les autres pratiques, dont la plus courante était l'éjaculation hors du vagin (« sauter en marche »), d'ailleurs cause de tant de frustration et de maladies chez la femme.

L'abstinence, outre qu'elle n'a aucun fondement dans l'enseignement de Jésus, est un diktat éminemment inhumain. Aussi les catholiques qui veulent obéir à l'Église mais ne veulent plus d'enfants (ils en ont déjà sept, huit ou plus) adoptent des astuces tout à fait touchantes (si j'ose dire) : faire lit à part ou chambre à part (mais il faut être riche pour disposer d'une chambre libre quand on a déjà six ou huit enfants…) ; se coucher à des heures différentes pour ne pas se rencontrer à l'horizontale, conscient et désirant ; se masturber dans son coin (mais c'est un péché !). Les maladies provoquées par le refoulement sexuel sont dénoncées par Chanson : « Psychonévrose, refoulement, inhibition, impuissance. »

La méthode est bien accueillie par le public, comme le prouve l'abondant courrier que publie

Chanson. Les hommes arrivent à « tenir le coup » une heure, voire deux heures. Les correspondants se réjouissent de constater que, de cette façon, ils conservent tout le bon, toute la volupté de l'intromission, et qu'ils ne perdent que « les quelques secondes paroxystiques finales », relativisant ainsi l'intérêt de l'orgasme. Beaucoup écrivent qu'ils sont devenus plus amoureux.

Les femmes, en particulier, apprécient que la durée de la relation passe de quelques minutes à un temps plus long. En ce qui concerne le renoncement à l'orgasme, la plupart des femmes ne s'y arrêtent pas, vu quelles n'en ont pas. Mais les rares femmes orgasmiques protestent : il n'y a pas de raison de leur refuser l'acmé, puisqu'il n'est pas procréateur, comme chez l'homme.

Un an plus tard, le Saint Office intervient : il ne met pas le livre à l'index, mais il enjoint au docteur Chanson de le retirer du commerce. Ce que fait le médecin, en bon catholique. Dieu merci, j'avais eu le temps de l'acheter.

LE TRAITÉ DES CARESSES

En 1983, je publie *Le Traité des caresses* – qui sera bientôt repris par les éditions Flammarion. J'y décris la « caresse intérieure », une façon de faire l'amour en maîtrisant le réflexe éjaculateur, que je pratiquais depuis des dizaines d'années. À l'époque, je ne connaissais pas le tantra, encore confidentiel en France, mais j'avais lu Chanson. Dans un traité consacré aux caresses, je voulais présenter l'union des sexes

126

comme une caresse que donnait le pénis au vagin et le vagin au pénis. Nous y reviendrons.

LA JOUISSANCE, CIMENT DU COUPLE

Les bienfaits de la Carezza et de la « caresse intérieure » s'expliquent à la lumière des substances du plaisir : les neuro-hormones et les neuro-transmetteurs. Rappelons que les endomorphines et la dopamine sont les molécules du plaisir et l'ocytocine celle de l'attachement.

Au début de la rencontre amoureuse, dit « état de grâce », les contacts (caresses, étreintes, baisers) étant multiples et fervents, les taux d'endorphines, de dopamine et d'ocytocine sont en permanence à un bon niveau ; s'y ajoutent de façon intermittente des orgasmes liés aux rapports sexuels qui font subitement grimper le taux des substances du plaisir à un seuil très élevé – un pic ; mais une fois l'orgasme passé, les taux s'effondrent brusquement (plus vite chez l'homme que chez la femme), et les amoureux ressentent dans les heures et les jours qui suivent des émotions négatives : blues, anxiété, irritabilité, mauvaise humeur, tendance dépressive.

Le couple encore plein d'affection trouve le remède à cet état : refaire l'amour. Alors, aussitôt, les substances du plaisir regrimpent et les amoureux retrouvent le bonheur pour un temps. Les taux des molécules hédoniques font ainsi des montagnes russes et le bonheur du couple aussi.

Le temps passant, les sentiments et le désir pâlissent, on a moins envie de faire l'amour, les rapports deviennent routiniers, on ne se caresse plus, on ne s'embrasse plus. Aussi les molécules du plaisir restent à un taux bas. On est irritable, on voit les défauts de l'autre, on lui fait des reproches. On commence à se désintéresser du sexe, les liens se distendent, le bonheur se dissipe. Pour relancer le désir et le bonheur, on commence par varier les pratiques : multiplier les positions, utiliser des jouets érotiques. Puis on se dirige vers des pratiques plus hard : sadomasochisme, échangisme, ce qui entraîne le plus souvent des complications dans le couple et de l'écœurement en chacun. Ou bien on va « voir ailleurs ». Cependant, entrer dans l'infidélité, c'est souvent entrer dans une machine infernale. Quelles que soient les solutions adoptées, on constate que l'ennui s'est installé et qu'il n'y a plus qu'à se séparer, solution qui est toujours douloureuse et, pour la société, une cause de désordre.

Actuellement, en France, deux couples mariés sur trois se séparent au bout de trois ans, en région parisienne, un couple sur trois, en province. Il y aurait un moyen d'éviter cette triste évolution, ce serait de s'inspirer du tantra ou de la caressa :

S'offrir des contacts étroits et renouvelés – caresses, étreintes, baisers – qui maintiennent les substances à un bon niveau, spécialement l'ocytocine, qui est la molécule de l'attachement.

Pratiquer l'union sexuelle comme une « caresse intérieure », avec tendresse et ferveur et accompagnement de caresses et de baisers.

Renoncer à l'orgasme systématique qui crée des montagnes russes, c'est-à-dire des pics de substance du plaisir suivis d'un déficit. Nous reviendrons sur la « caresse intérieure ».

Encore une fois, les Orientaux avaient vu juste. Parce que, pour eux, la sexualité était sacrée – et donc non répréhensible –, ils avaient préconisé, pour maintenir la cohésion du couple et lutter contre l'usure, d'être si expert en érotisme que ni la femme ni l'homme n'auraient envie de chercher satisfaction en dehors du couple.

PARTIE V

L'ART DE LA CARESSE

CHAPITRE 1

Qu'est-ce qu'une caresse ?

Le terme caresse vient de l'italien *caro* : cher, et *carezzare* : chérir. Il désigne un toucher affectueux et agréable que l'on prodigue à ceux que l'on aime ou que l'on aime bien : l'amoureux ou l'amoureuse, certes, mais aussi les parents, les enfants, les ami(e)s, sans oublier les animaux. La caresse amoureuse constitue un cas particulier.

Une caresse est un contact volontaire, doux, agréable, inspiré par la tendresse ou (et) le désir entre les peaux des amoureux. « Volontaire » il ne l'est pas toujours ; il peut être fortuit, frôlement ou frottement occasionnel d'une partie de notre corps par le corps de l'aimé(e). « Doux » il l'est le plus souvent, mais il peut ne pas l'être : certains touchers peuvent être appuyés et plaisants quand même, telle une pression, une tape, une étreinte ; ils peuvent même être doulou-reux et appréciés, comme c'est le cas dans le sado-masochisme. « Agréable », il doit l'être, l'obtention du plaisir est son objectif, par plaisir s'entend toutes les sensations heureuses qui vont du simple bien-être à l'euphorie. « Inspiré par la tendresse », c'est-à-dire relevant de l'affection, voire de l'amour, on le sou-haite. « Inspiré par le désir », c'est-à-dire par l'envie d'accéder au corps de l'autre afin de lui procurer de la volupté et d'en éprouver, on le souhaite aussi.

« Entre deux peaux » ? Basiquement, la caresse, c'est le contact entre la peau de la main et la peau d'une autre partie du corps ou du sexe de l'aimé(e). Mais le contact peut aussi s'établir entre la peau de toute partie de notre corps et celle de toute autre partie du corps de l'aimé(e). On peut caresser, comme on l'a déjà dit, avec toute zone mobilisable (le visage, le crâne, les cheveux, les coudes, les seins, etc.), et viser toutes les cibles accessibles à la surface du corps (avec les cheveux, on peut effleurer les seins, avec le front, masser, frotter le dos, etc.). Les combinaisons sont infinies.

« Entre deux peaux » seulement ? Non, car une caresse peut se donner d'une peau à une muqueuse – une muqueuse c'est ce qui revêt une cavité anatomique. La peau d'un doigt peut caresser, subtilement bien sûr, les muqueuses de la bouche (les lèvres, l'intérieur des joues, la langue, etc.), ainsi que celles de la vulve, du vagin et du gland du pénis. Inversement, une muqueuse peut caresser une peau : la bouche – ses lèvres, sa langue – peuvent bécoter, lécher, sucer n'importe quelle surface du corps. La vulve elle-même, bien ouverte et lubrifiée par le désir, peut aller se promener sur la peau des cuisses, du ventre, du thorax et du visage, y imprimer des poutous, y laisser des sillons humides. Quant au gland du pénis, il ne renâcle pas à faire des escapades sur divers sites à sa convenance.

Existe-t-il des caresses d'une muqueuse à une autre ? Bien sûr, et ce sont même les plus torrides. Le cunnilingus n'est autre que la caresse que donnent les muqueuses de la bouche aux muqueuses de la vulve, la fellation, celle qu'offrent les muqueuses buccales aux muqueuses du gland. Quant à l'union des sexes – alias intromission ou pénétration –, couronnement de l'union de la femme et de l'homme, c'est la mise en étroit contact des muqueuses vaginales et des muqueuses péniennes. C'est pourquoi j'ai appelé cette phase du ballet des corps « la caresse intérieure » : la caresse que le pénis donne au vagin, et réciproquement.

CHAPITRE 2

L'heure des caresses

LES CARESSES DE PRÉLUDES

Ces caresses sont également appelées « préliminaires ». Elles sont destinées à faire monter l'intensité du désir et de l'excitation jusqu'au stade où l'orgasme se déclenche. Il s'agit, à force de stimulations, de rendre les capteurs sensitifs de la peau et des organes sexuels hypersensibles, et donc hypervoluptueux, et de provoquer une intumescence optimale des corps érectiles – les éponges vasculaires qui se trouvent au cœur des sexes et se gorgent de sang –, intumescence qui va amplifier les sensations voluptueuses. Quand l'excitation atteint un certain seuil, elle déclenche dans le cerveau limbique la mise à feu de l'orgasme.

L'autre but des préliminaires est de provoquer une bonne lubrification de la cavité vaginale afin de rendre les mouvements du pénis confortable, et plus si affinités, tant pour la femme que pour l'homme. Naturellement, une première lubrification se produit sous le simple effet du désir ; elle peut être rapide au point qu'on peut dire que la femme mouille aussi vite que l'homme bande. Cette eau-là vient des vaisseaux sanguins péri-vaginaux, elle traverse la paroi vasculaire, puis la paroi vaginale, c'est un transudat. À la surface de la muqueuse vaginale, elle perle en gouttes qui se réunissent en un film continu.

Quand le pénis est introduit dans le vagin et que le plaisir grimpe, une seconde lubrification apparaît, produite par les glandes de Bartholin, situées dans la vulve, de chaque côté du vestibule vaginal. C'est une sécrétion, le liquide est plus épais.

L'homme pourrait le plus souvent se passer de préliminaires car il a l'érection et l'orgasme (trop) faciles et rapides. Mais même quand c'est le cas, son amoureuse se doit d'honorer son homme, son corps et son sexe érigé. Elle dira à chacun, avec des mots, des caresses et des baisers, qu'ils sont beaux, et même magnifiques, qu'elle les aime. Elle ajoutera, pour le pénis, qu'elle se réjouit de le recevoir bientôt dans son creux. Bien entendu, si l'homme ne bande pas alors qu'il le faudrait, son amoureuse lui offrira les meilleurs préliminaires, associés à des mots d'encouragement, de persuasion et d'amour, afin que le pénis se dresse vaillamment.

La femme, classiquement, a besoin de plus de préliminaires. Pour atteindre l'orgasme, elle met en effet plus de temps que l'homme – lui, quelques minutes, elle quelques quarts d'heure. Ce délai différent pour obtenir le plaisir suprême est l'une des grandes dissymétries entre la sexualité de la femme et celle de l'homme ; elle est la cause majeure des frustrations féminines et de ses conséquences. L'orgasme raté provoque déception, amertume, anxiété, malaises, maladies psychosomatiques et dépression. Il entraîne à la longue la perte du désir. Sans compter les conflits entre les partenaires et la dégradation du couple. C'est pourquoi il faut tout faire pour que la femme ait le temps d'obtenir son orgasme avant son homme. Une première solution consiste à demander à l'homme, compte tenu de la phase réfractaire, de maîtriser son éjaculation afin de prolonger l'action du pénis dans le vagin ; et d'éjaculer, ou pas, seulement après que la femme a obtenu son orgasme. La seconde solution consiste à accroître le degré d'excitation de la femme en la caressant efficacement avant l'union : ce sont les préliminaires.

Cette nécessité de préludes n'est pas dû au fait que la femme serait une sous-douée sexuelle, mais au contraire à ce qu'elle est une surdouée : le volume total de ses corps érectiles – le clitoris, son gland, sa tige, ses racines, les deux bulbes vestibulaires, la gaine vaginale, le réseau péri-urétral – est supérieur à celui que l'homme détient dans sa verge ; il faut donc plus de temps pour que les corps érectiles se remplissent et s'engorgent de sang. Raccourcissons ce temps par de merveilleuses caresses et par des baisers passionnés.

Ce que je viens de dire à propos du long temps nécessaire à l'obtention de l'orgasme concerne l'orgasme vaginal attendu de l'intromission de la verge ; l'orgasme clitoridien, lui, vient beaucoup plus facilement et rapidement. Actuellement, il existe de plus en plus de femmes à la sexualité assez éveillée – on y reviendra – pour être prêtes à faire l'amour dès qu'elles en ont envie (lubrification et intumescence optimales) et obtenir un orgasme aussi rapidement que l'homme.

Les préliminaires consistent en caresses et en baisers de toutes sortes offerts à sa ou son partenaire, d'abord sur l'ensemble de sa peau, puis sur son sexe.

Il ne s'agit pas seulement d'exciter ce corps, mais aussi de le faire exister, de l'honorer, de le chanter, de le nourrir, de lui donner envie de s'offrir, de s'abandonner, de s'élancer, d'exploser. Les préliminaires ne sont pas une technique, voire une tactique, de parfait petit « baiseur » s'intéressant à un corps objet, ils sont une forme de cour faite à l'autre, corps et âme.

LES CARESSES DE POSTLUDES

On frémit ou l'on enrage lorsqu'on entend encore certains récits de femme : l'homme, après avoir fait l'amour (« tiré son coup ») se retire dans son coin de lit et s'endort. À moins qu'il ne s'asseye et fume une cigarette, ou pis, ne se lève et aille prendre une douche, comme pour se laver de je ne sais quelle impureté.

Quand chacun a eu un orgasme, la femme en premier, l'homme ensuite (et pas forcément ensemble, c'est difficile et pas le top), on peut d'abord essayer de rester les sexes joints, le pénis dans le vagin et le vagin autour du pénis ; soyez alors très à l'écoute de vos sensations et essayez de vous adresser des petits signes par l'intermédiaire des sexes, le vagin effectuant des petites contractions sur la verge et celle-ci effectuant de minimes redressements dans le fourreau. C'est amusant, c'est tendre, c'est exquis.

Plus souvent, on se retrouve dans les bras l'un de l'autre. C'est alors que l'homme exprimera à son aimée tout le bonheur qui dilate son cœur et son âme ; il la remerciera du don de son corps, du don de son plaisir ; il lui dira qu'elle est divine, elle qui l'a fait dieu quelques instants d'éternité. Tandis qu'il la garde dans ses bras, il caresse doucement son corps, maintenant apaisé, mais irradiant encore de douces vibrations qui se mêlent aux siennes. Maintenant, ils respirent d'un même souffle, il n'y a plus rien à dire, il n'y a plus qu'à s'aimer. Elle, elle est pleinement heureuse car elle sait bien qu'elle n'a pas été qu'un simple objet d'assouvissement.

CARESSES D'INTERLUDES

Bien entendu, ce n'est pas dans le coït « moineau » que les caresses d'interludes peuvent s'échanger. C'est dans les unions amples et prolongées, comme dans la « caresse intérieure », que nous décrirons ultérieurement. Alors on fait des pauses, on échange des regards (si la position le permet), des mots d'amour, des compliments et l'on se donne des caresses.

Exemple : tu es assise sur moi, empalée sur mon sexe, tu as cessé tes mouvements et tes rugissements, tu me regardes avec tellement d'amour que le bleu de tes yeux ruisselle sur mon visage. J'ai tes seins entre mes mains, je descends doucement celles-ci sur ta taille, puis je les glisse sur tes fesses, que je caresse, que je pétris légèrement, que je raie d'un ongle. Toi, tu passes tes doigts dans le pelage de mon ventre, puis de mon thorax puis tu les mènes sur mon visage et, de ton majeur, tu parcours le contour de mon visage : « Je t'aime fort, tu sais », dis-tu. En réponse, je presse tes cuisses que je m'étais mis à effleurer. Et tu reprends tes mouvements ; ton corps, à cheval sur mon bassin, monte et descend, tu halètes, et geins. Mon pénis dans le creuset de ton ventre découvre ce que brûler de plaisir veut dire.

LA CARESSE GRATUITE

Il faut sortir du schéma machiste : érection, pénétration, orgasme. On peut se caresser sans intention de coïter ni d'avoir un orgasme ; ça oblige à être créatif, à explorer la peau et ses marches dans toute son étendue et sa générosité. Et puis, en soi, se caresser est un pur bonheur. Tous les effets bénéfiques du toucher se révèlent alors : la tension nerveuse, le stress et l'anxiété s'apaisent, la fatigue s'efface, tandis qu'une douce énergie nous gagne et que les idées sombres font place à une bonne humeur.

Ici, les caresses porteront sur toute la surface du corps et non sur les zones sexuelles, de façon à ne pas créer d'irrésistibles envies de faire l'amour et un besoin d'orgasme. Il faut en convenir avant la séquence ; mais les couples confirmés sentent de quoi il s'agit sans dire un mot.

Il n'y a pas d'heures pour les caresses gratuites, mais elles semblent trouver naturellement leur place au retour du travail, quand l'aimé(e) rentre fatigué(e). Ou le soir, au coucher, pour induire le sommeil.

CHAPITRE 3

C'est un art

Caresser est un art. Les Orientaux le savaient déjà six mille ans avant notre ère. Ils décrivaient mille et une caresses, cent et un baisers dans des Traités d'érotisme sacré ou des « Manuels de la chambre à coucher ». Nos ancêtres européens de l'ère préchrétienne (les Celtes, les Francs, les Wisigoths, etc.) étaient-ils aussi raffinés dans ce domaine ? En tous les cas, ce qui est sûr, c'est que depuis le début de notre ère, nous avons tout désappris.

Cet art s'apprend-il ou est-il inné ? Il est inné, instinctif, naturel, il faut seulement le raffiner. Et avant tout, en Occident, il faut le libérer, car les tabous que notre civilisation nous a imposés ont laissé des séquelles jusqu'à ce jour. Une fois libérées, nos mains et notre bouche vont retrouver les gestes naturels propres à notre espèce. D'autant que nous bénéficions au début de notre vie d'un merveilleux cours de « remise à niveau » : le corps à corps avec notre mère.

Bien que cet art soit naturel, il est bon de le perfectionner, comme il en est de tout art. La cuisine, par exemple, à force de raffinement et de créativité, est devenue gastronomie. Pour les caresses, il s'agit également de raffinement et de multiplication des possibilités. Toutefois, un traité sur ce thème a pour but d'ensemencer les imaginaires et non d'exposer des techniques à suivre à la lettre, comme je l'ai déjà dit.

Chaque partie du corps fera l'objet de « leçons », à prendre comme des gammes, comme du solfège. Le musicien-compositeur, ce sera vous. Vos mains seront comme l'archer d'un violon, vos lèvres habiles comme celles du joueur de fifre.

PARTIE VI

LA GÉOGRAPHIE ÉROTIQUE.
PREMIÈRES LEÇONS

CHAPITRE 1

La main, le bras

Honneur à la main. Elle qui nous offre tant de délicieuses caresses, célébrons-la. Et rendons-lui hommage car c'est elle qui, dans le passé préhistorique, a permis à notre espèce de survivre et qui, dans le présent, nous affirme comme humain.

Rappelez-vous : nous avions perdu notre pelage, auquel s'accrochaient nos petits, nous étions nus devenus ; alors il nous a fallu prendre en main notre progéniture : c'est ainsi qu'est née la tendresse. Et dans la savane, qu'auriez-vous fait sans pelage, sans carapace, sans griffes, sans crocs, sans corne, sans possibilité de sprint fulgurant, de bonds stupéfiants, si la main n'avait fabriqué et tenu une arme ? Nous avons été *homo faber* avant de devenir *homo sapiens sapiens*.

QUAND L'HOMME CARESSE

Homme qui me lisez, un jour vous avez mis genou à terre pour demander la main de celle que vous aimiez. Vous l'avez obtenue, alors ne cessez de la bénir et de la réjouir. Aujourd'hui, prenez-la délicatement mais avec ferveur, contemplez sa face externe, inclinez-vous pour lui porter un baiser léger. Ce geste est de dévotion, mais le contact de vos lèvres sur les doigts amorce le rapprochement de vos êtres de chair. Alors vos lèvres se font plus gourmandes : elles pressent les phalanges et remontent progressivement sur le dos de la main, où elles impriment des baisers plus charnus et un tantinet humides. Devenue plus gourmande encore, votre bouche va se loger sur l'autre face, au creux de la paume, elle s'y écrase tandis que votre visage s'y enfouit.

Alors votre appétit n'a plus de limites, vous voulez tout goûter : vous passez la pointe de votre langue sur les lignes de la main, ligne de vie, ligne de cœur, ligne de chance, etc., vous la glissez dans les espaces entre les doigts. Puis vous promenez vos lèvres sur les phalanges jusqu'à leur extrémité et vous vous mettez à sucer le bout des doigts, subtilement, mais de bon appétit. Ce qui trouble plus encore votre aimée. C'est très intime, cette absorption des doigts par la bouche, déjà l'un de vous deux est dans l'autre, cela évoque et cela promet d'autres introductions.

Retournant la main, vous voilà maintenant à effleurer les plis du poignet, entre main et avant-bras, de la pulpe de vos doigts. Là est le filon de diamants étincelant de plaisirs. Vous y portez à l'instant la bouche, y passez des lèvres à peine humides. Mais vous sentez que c'est la pointe de la langue qui est faite pour ces fins plis : d'abord elle les léchote globalement puis s'applique à suivre chaque sillon. Vous vous régalez, il faut savoir apprécier les munificences de la vie. Et surtout, vous vous réjouissez car votre aimée apprécie autant que vous et manifeste son bonheur : sa respiration tour à tour se retient ou se fait plus profonde ; sa gorge émet de doux « hum », son visage rayonne et sa main libre saisit votre main et la presse, la presse...

C'est tout naturellement et dans la continuité que vous portez, maintenant, votre attention sur la face interne de l'avant-bras. La peau y est si fine et si agréable à toucher que la pulpe de vos doigts aussi bien que la chair de vos lèvres sont inspirées et trouvent les caresses et les baisers subtils qui émeuvent votre amoureuse.

À deux pas de là, le pli du coude vous fait signe. C'est aussi un sacré filon de précieux plaisirs. La peau y est si soyeuse et si sensible que, à peine vos doigts posés, votre amoureuse frissonne et soupire.

Comme vous avez de la suite dans les idées, et la nature aussi, qui a revêtu la face interne du bras de la même peau de soie, vous voici sur cette face, à glisser des doigts précautionneux et des lèvres raffinées. À ce moment, vous prenez conscience que le versant opposé à ce bras, qui est le sein, a une peau également soyeuse. Alors vous comprenez pourquoi la nature a rendu cet espace si tendre : c'était pour y loger l'enfant, y blottir l'amant. Pour eux il fallait le *nec plus ultra* de la douceur.

Mais voici qu'une ivresse vous gagne : proche du creux axillaire, vous en respirez les arômes. Au bord de délirer, vous vous reprenez car du bras vous n'avez connu que la face interne et vous avez envie de tout en savoir. Aussi vous revenez à la main de votre aimée, que vos bécotez au passage, avant d'entreprendre l'ascension de la face externe du membre. Sur l'avant-bras, vous rencontrez une surface douce recouverte d'un ultra fin duvet ; vous la lissez de la pulpe de vos doigts, vous y faites glisser des lèvres légères. Sur le bras, c'est la même douceur qui appelle les mêmes caresses et les mêmes baisers. C'est alors que votre main découvre le galbe de l'épaule, qui s'emboîte à merveille dans votre paume ; rondeur raffinée, rondeur féminissime qui appelle des baisers appuyés. Vous en couvrez la convexité, vous en déposez dans le méplat dessous. Et là un effluve, la même, vous saisit à nouveau, auquel vous ne résisterez plus.

Vous approchez votre visage du creux axillaire de votre belle et vous vous laissez enivrer pas les arômes qui s'en exhalent. Arômes qui vous mettent plus près encore de l'intimité de cette femme. Arômes qui vous rendent encore plus désirant et plus amoureux d'elle. Arômes de femme qui vous remplissent d'un bonheur sans âge. Arômes saturés de phéromones qui atteignent par le plus court chemin votre rhinencéphale, le cerveau des émotions, et se plantent dans votre hypothalamus, le cerveau de l'instinct. Arômes porteurs de souvenirs, en surface oubliés mais profondément inscrits dans vos amygdales limbiques et toujours prêts à resurgir. Combien d'heures, combien d'années, enfant, vous êtes resté blotti contre ce creux, béat de bonheur… Combien de femmes croisées ou enlacées vous ont marqué du sceau de telles fragrances…

Vous avancez un peu plus vos narines du creux, vous l'humez, alors vous ne pouvez vous retenir d'y enfouir votre visage et d'inspirer « cul sec ». « Je t'aime, je t'aime », dites-vous. « Tu es fou », répond-elle. Elle craint que son odeur ne vous incommode car elle, elle n'a pas la manie de se doucher sans cesse et elle, elle n'utilise pas de déodorant ; elle déteste ces produits qui sentent personne ou plutôt tout le monde, et qui donnent à l'homme l'impression de faire l'amour avec la fille du magazine ou avec le flacon exhibé à la télévision. Ça tombe bien, vous pensez de même.

Affolé, vous vous préparez à vous élancer sur sa bouche.

QUAND LA FEMME CARESSE L'HOMME

La main de l'homme peut impressionner et aussi exciter la femme en ce qu'elle exprime de virilité : elle est puissante, elle porte une certaine pilosité. L'homme a quelques réticences à se laisser prendre la main pour de subtiles caresses et de précieux bécots. Insistez, il cédera. De même, il est probable, quand vous atteindrez la mine d'or des plis du poignet, qu'il renâcle à vous l'abandonner et, si vous réussissez à la caresser, la bécoter, et la léchoter, il n'est pas certain qu'il s'abandonne à ses voluptés. L'abandon c'est le problème de l'homme, toujours régi par cette règle de fer, « un homme c'est un dur », dont l'écho résonne sans cesse au fond de lui.

L'avant-bras de l'homme est plus encore pourvu de poils et garni de muscles plus ou moins apparents. C'est masculin, ça vous excite. Vous voici arrivée aux plis du coude : va-t-il flancher quand vous allez les agacer ? D'abord, le fier mâle s'étonne : « Que me fait-elle, cette diablesse ? », puis il est interpellé, mais il apprécie sans le dire, sans le manifester.

Vous atteignez son bras, là ou saillent les fameux « biscotos », emblèmes de virilité. Vous palpez, mi-admirative, mi-craintive, comme vous vous amuseriez à caresser le museau d'un félin. Mais le vôtre ronronne.

Vous remontez jusqu'à l'épaule. Chez l'homme, elle est carrée et épaisse, signe de puissance et même d'agressivité – donner un coup d'épaule pour forcer un passage, pour prendre une place. D'ailleurs elle n'est jamais assez large puisque, dans ses déguisements – je veux dire ses uniformes –, il y rajoute des « épaulettes ». Cette puissance, ça vous impressionne et ça vous trouble, mais ce qui vous excite plus encore, c'est d'avoir à apprivoiser, amadouer, civiliser ce fauve. Vous avez réussi, il ne roule plus des mécaniques, il fait pattes de velours.

Mais c'est à votre tour d'avoir la tête toute retournée. De son creux axillaire montent des effluves qui suscitent un écho en vous. Cependant, elles sont vraiment très fauves et très fortes !… Vous ne souhaitez pas encore y mettre le visage. Mais un jour viendra où plus de certitude, plus de désir libéré, plus d'audace vous feront plonger le visage dans les mâles arômes et vous en enivrer.

CHAPITRE 2

La tête

Quand il m'arrive de traverser un désert affectif, et donc tactile, en un mot quand je n'ai pas d'amoureuse, je me rends plus souvent chez « ma » coiffeuse. Objectif : le shampoing. Alors, si j'ai la chance de tomber sur une shampouineuse qui aime ce qu'elle fait et est consciente du pouvoir qu'elle a entre les mains, je reçois un délice de massage du cuir chevelu. Aussitôt s'envolent mes pensées moroses et reviennent ma bonne humeur et mon énergie.

Pourquoi pas, entre amoureux, s'offrir réciproquement et plus souvent un tel massage, qui pour moi fait partie des caresses. Se toucher n'a pas pour unique but de s'exciter mais aussi de s'offrir un plaisir qui est de l'ordre de la sensualité et non de la sexualité, et qui apporte du bien-être et une belle détente. Ce qui, du reste, joue en faveur de la sexualité, car lorsque l'on est apaisé, on est plus réceptif aux appels du désir.

Les femmes sont sans doute un peu plus méfiantes à se laisser toucher les cheveux, de peur qu'on ne dérange le chef-d'œuvre que constitue leur coiffure, même lorsque celle-ci paraît relever d'un coup de vent plus que du coup de peigne. Chez l'homme, il y a moins de résistance, compte tenu du fait que sa chevelure est majoritairement moins abondante, voire même absente. Toutefois, il existe des mâles réticents à se laisser toucher les « tifs » par une femme, sans doute encore très marqués par ce qui est advenu à la puissante tignasse de Samson trahi par Dalila.

La caresse-massage du cuir chevelu demande une certaine pression. Les deux mains, bien appuyées, travaillent de conserve, les doigts écartés. Il faut y aller de bon cœur, comme si vous aviez à pétrir une boule de pâte à pain. N'hésitez pas à presser le cuir chevelu contre l'os du crâne. Faites aussi comme si vous vouliez mobiliser ce cuir sur l'os. Mais modulez votre force en fonction de l'endroit : sur les tempes, plus sensibles, allégez quelque peu la main ; à l'inverse, dans les fossettes de la nuque, allez-y gaillardement. Si c'est à la pulpe digitale de faire le plus gros du boulot, n'hésitez pas de temps à autre à sortir vos griffes, je veux dire à gratouiller subtilement de vos ongles la surface chevelue.

Une variété de caresse-massage de la tête consiste à donner à son aimé(e) un shampoing. Prenons votre cas, Monsieur. Votre amoureuse prend un bain. Proposez-lui de lui laver les cheveux, elle accepte avec joie et s'assoit dans la baignoire pour être à votre hauteur. À vous de vous adapter à la sienne. Le savon facilite le lavage-massage, les doigts glissent plus facilement dans les cheveux et sur le cuir. Vous y mettez tout votre cœur, toute votre intuition, et vous sentez que votre aimée est « aux anges » : de sa gorge montent des « hum » de délice. Toutefois, si vous êtes un homme dévoué, vous n'en êtes pas moins homme, et son corps nu dans l'eau n'échappe pas à vos regards certes admiratifs, mais hors champ, je veux dire trop latéraux. L'occasion, l'eau tendre et chaude, la mousse soyeuse, certaines rondeurs à la ligne de flottaison, des fantasmes qui surgissent et une envie terrible de la prendre dans vos bras, et plus si affinités, vous saisit. Vous hésitez entre rejoindre votre aimée dans la baignoire ou l'en extraire prestement et l'emmener sur votre couche commune. Elle devine votre excitation, vous dit qu'elle aussi a envie de vous, mais que le massage lui fait tellement de bien qu'il ne faut pas l'arrêter et que de toute façon il faut achever le shampouinage. Pour vous consoler, elle vous tend sa bouche rouge cerise.

Alors, sagement, vous continuez, et bientôt vous lui essuyez les cheveux, ce qui constitue un ultime massage, de plus très agréable pour votre amoureuse, particulièrement lorsque vous lui séchez les oreilles, vos doigts recouverts de la serviette éponge, en frottant doucement le pavillon ou en tournicotant dans les conduits auditifs. C'est tellement bon pour elle ! C'est comme cela que faisait sa mère ; il y a toujours un pan d'enfance qui remonte quand c'est bon la vie.

L'égalité entre les sexes fera que, la prochaine fois, ce sera vous, l'homme, d'être dans le bain, avant que d'être dans de beaux draps !

CHAPITRE 3

Le visage

On pense plus souvent à embrasser le visage qu'à le caresser, sauf chez les enfants. Passer une main tendre sur la joue, les mères le font, les amantes, non, ou moins. Tapoter tendrement une joue, les pères le font, les amants, non.

Inversement, le visage est aussi la cible de contacts violents – claques et autres gifles –, gestes plus blessants qu'une fessée. On attente là à notre personne.

UN LIEU PARTICULIER

Des observations que j'ai pu faire lors de séminaires de massage m'ont révélé que le visage était un lieu particulier. Sous la peau se trouvent de fines lames musculaires : les muscles peauciers. Ces muscles, nous les contractons en permanence sous l'effet des émotions ; et leurs contractions plissent la peau. À la longue, ils demeurent contracturés et les plis de la peau se font rides. Notre visage est en quelque sorte recouvert par un masque – un persona, comme en portaient les comédiens grecs

– qu'on se compose pour cacher les émotions qu'il serait dangereux ou indigne de laisser paraître – joie, peur, colère, etc. En paraissant impassible, notre figure fait de la figuration.

Une autre observation concerne un homme d'une trentaine d'années qui eut une réaction étonnante. Au moment où l'on entamait le massage de son visage, il se mit à sangloter, fut pris de nausée, tandis que son pouls s'emballait à 120 pulsations. Il me confiera que la situation avait réveillé une douleur enfouie : celle de n'avoir pas été touché tendrement par sa mère. J'ai souvent remarqué qu'une intense émotion saisissait les hommes dont on touche le visage, et qui peut aller jusqu'au rejet de la main.

Que tout cela, femmes aimantes, ne vous empêche pas de caresser le visage de votre homme, votre ferveur triomphera des archaïques crispations.

VISAGE DE FEMME, SITE ÉROTIQUE

Chez la femme comme chez l'homme, la caresse de la figure semble plus de nature affective qu'érotique, pourtant la peau est très sensible et les sensations voluptueuses y fourmillent. Prenons le cas d'un homme qui entreprend de caresser le visage de son aimée.

Soyez, Monsieur, plein d'attention et de délicatesse. Ici, un ou deux doigts suffisent, toujours légers comme des plumes. Passez la pulpe de votre majeur sur les lèvres de votre aimée, comme si vous vouliez les redessiner ; c'est de votre part un geste d'admiration et de gourmandise sublimée ; et un geste très agréable autant pour vous que pour elle. Avec ce même doigt, ou un autre, suivez le contour du visage, retracez les sourcils, la crête du nez. Avec plusieurs doigts, caressez les joues. Que le donneur soit infiniment tendre ! Que celle qui reçoit s'abandonne !

Pour les baisers, les surfaces sont petites mais d'une telle qualité : le menton, les pommettes, les paupières, le front les attendent. Plutôt de pieux bisous, comme sur une relique. Mais aussi des léchettes, ici ou là, sur les paupières par exemple. En ce qui concerne la bouche, elle n'a pas la vedette dans cette caresse du visage, offrez-lui simplement de doux bécots avec le bout de vos lèvres (et non du bout de vos lèvres) ; et de subtiles léchottes qui en suivent le dessin.

Vous pourriez, aujourd'hui, intégrer les oreilles dans votre promenade érotico-admirative ou bien remettre votre visite à une autre fois, car elles constituent un site à part entière. Vous avez décidé d'y aller ? Alors approchez-vous en parlant tout bas : que vos mots soient murmures, que vos paroles soient des souffles. Parler haut incommoderait votre amoureuse, par contre, parler sur un ton intime l'émeut. Car à part sa mère – autrefois – et ses amoureux rêvés ou réels, personne ne lui a parlé dans l'oreille. En tout cas, ne faites pas de baisers, c'est désagréable, voire douloureux ; certains insistent, mais forcer ici est une erreur.

Allez maintenant promener la pointe de votre langue sur le contour du pavillon, subtilement et par touches, comme un restaurateur de tableaux le fait de son pinceau. Vous pourriez aussi absorber délicatement le haut du pavillon et le sucer, mais à condition d'éviter tout contact avec les dents. Ou bien vous intéresser à l'intérieur du pavillon. Qu'est-ce qu'il y a à l'intérieur du pavillon ? C'est comme dans une noix, il y a des circonvolutions. Promenez-y subtilement la pointe linguale. Quand vous arrivez au conduit auditif, soyez plus léger encore ; que votre bouche n'émette aucun son, aucun bruit. Donnez quelques léchettes brèves à l'orifice. Et soudain décochez un coup d'estoc : enfoncez subitement votre langue au plus profond du conduit. C'est d'un plaisir imparable et incomparable qui cloue votre amoureuse. Ce n'est en rien douloureux.

Le lobule de l'oreille, ce pendentif de belle chair, il n'y a que l'humain qui en est doté, décoré, lui, l'*homo eroticus*. Il est doué d'un pouvoir de volupté extraordinaire et insoupçonnable, particulièrement chez la femme. Prenez-le entre vos lèvres, aspirez-le, sucez-le avec délices – des « hum » et des « miam miam ». Cela m'étonnerait que votre aimée ne manifeste pas très vite quelques signes d'excitation, *a fortiori* si tout le reste de son oreille avait fait l'objet de vos soins. Continuez de sucer, c'est parfaitement charnu, c'est tendre à souhait, c'est élastique. L'excitation de votre aimée ne fait que croître, comme le prouvent ses gigotements et les sons qu'elle émet et qui ne trompent pas. C'est le moment de poser les dents de part et d'autre du lobule. Prenez la précaution de maintenir sa tête. Vous le savez, je suis contre la contrainte, principalement quand il y a risque de douleur, mais ici c'est le plaisir qui va la faire s'agiter, et cette agitation risque de lui faire rater le meilleur. Vous la tenez bien ? Alors allez-y : mordillez le lobule. Cris et déchaînement de votre aimée. C'est tellement jouissif que c'est presque insupportable. Ça peut aller jusqu'à l'orgasme.

Ce pouvoir orgasmique du lobule, vous pourriez l'utiliser en certaines circonstances où votre amoureuse est au bord de s'envoler au septième ciel mais n'y arrive pas. Par exemple, quand vous lui caressez le clitoris ou le vagin, ou quand elle se caresse elle-même ou quand vous faites l'amour : la voilà en bout de piste mais elle ne décolle pas. Si à ce moment vous saisissez son lobule entre vos dents, vous la verrez jaillir vers l'azur.

VISAGE D'HOMME, AUTRE SITE ÉROTIQUE

La femme fera à l'homme d'aussi belles caresses ; encore faudra-t-il que celui-ci réussisse à s'abandonner, à se livrer. En ce qui concerne la volupté du lobule, elle est moins aiguë, mais elle vaut le mordillement. Le problème, chez l'homme, rappelons-le, c'est que toucher son visage relève de l'impudeur. C'est prendre le risque que le masque se soulève et que les émotions affleurent, qu'il ne les contrôle plus, ces émotions qui lui sont interdites, comme la peur, la tendresse, le besoin de tendresse. Toucher le visage de l'homme, c'est le toucher au plus profond, c'est dévoiler sa part d'enfance réprimée.

Alors, vous, l'aimante, à cet instant « touchante », il vous faut être prête à accueillir ce qui sera révélé, dans une grande confiance réciproque. Chez tel homme, ce sera une grande émotion qui l'envahit et déborde en sanglots. Chez tel autre, ce sera une vague de bonheur associée à une détente incroyable qui lui donne ce visage de béatitude. Retour à l'enfance ? Bien plus loin, bien plus haut que cela.

PARTIE VII

LA FACE ANTÉRIEURE DU CORPS

PARTIE II

LA FACE ANTÉRIEURE DU CORPS

CHAPITRE 1

Le thorax, le sein

Le sein est un chef-d'œuvre. L'hémisphère est en soi une forme parfaite et parfaitement féminine, comme l'est basiquement le rond. Qu'il porte en plus des cercles concentriques de couleurs et d'épaisseurs différentes multiplie à l'infini sa beauté. Admirable, l'aréole légèrement surélevée comme un verre de montre, et de couleur brune, admirable, le mamelon effrontément saillant, et de coloration rosée ou pourpre. Cette forme en cible renforce sa visibilité, mais pour qui ? L'enfant ? L'amant ?

Pour l'amant, il est évident que c'est un signal sexuel, une configuration affichée à la surface du corps destinée à solliciter les centres cérébraux des émotions et du désir (centre limbique et hypothalamus) du mâle.

Ce qui confirme le rôle de signal de cette forme admirable, c'est qu'en soi elle n'est pas utile à l'allaitement : pour allaiter, la femme pourrait se contenter de simples poches, comme en ont les femelles de primates. En dehors de l'allaitement, la forme est moins utile encore, nos cousines femelles n'ont plus alors que de maigres et flasques poches. En outre, le sein n'allaite que de rares fois dans la vie d'une femme, pourquoi le maintenir plein et rond en permanence, si ce n'est dans un dessein érogène ?

UN SIGNAL SEXUEL

Desmond Morris, déjà évoqué, confirme que le sein en l'état est bien un signal. Les premiers hominidés se tenaient et se déplaçaient sur leurs quatre pattes et faisaient donc l'amour par le versant postérieur des femelles-femmes. C'est pourquoi les fesses et la vulve de celles-ci, déjà bien exposées, étaient en plus bien soulignées : les fesses en étant rondes à souhait, la vulve en étant pulpeuse à ravir et vivement colorée de rouge.

Quand les hominidés s'érigèrent sur leurs pattes arrière pour se tenir debout, la vulve s'esquiva entre les cuisses et devint invisible ; quant aux fesses, elles ne pouvaient plus être contemplées durant le coït, puisqu'on faisait maintenant l'amour face à face. Ainsi, deux signaux étaient disparus. Qu'à cela ne tienne, la nature plaça sur la face avant de la femme l'équivalent des signaux perdus : les seins, équivalent des fesses, les lèvres, autour de la bouche, équivalent de la vulve.

C'est tellement vrai qu'aucune espèce animale n'a de seins – nous l'avons vu –, ni de lèvres non plus. En tant que splendeur, le sein est fait pour être vu, comme signal sexuel, il ne doit pas être montré, en raison de la répression de la sexualité et de la femme, liée à la « mâle peur ». Si bien que, selon les époques et les pays, on l'exhibe ou on le cache. « Cachez ce sein que je ne saurais voir », dit le dévot de Molière. Le plus souvent, on joue à cache-cache, c'est-à-dire qu'on le suggère grâce à des décolletés généreux ou des tissus moulants, voire transparents. Ce qui du reste ne réduit pas son effet sur l'homme – son excitation, son désir, son érection, au contraire.

Notre époque (dans la seconde partie du XXe siècle et au début du XXIe siècle) est celle de l'exhibition du corps de la femme ; ses seins et ses fesses s'affichent tous azimuts, ses seins, surtout, qui sont l'image dominante, l'emblème de ces temps.

Ce qui veut dire que le mâle rencontre à chaque pas, en vrai, en papier ou sur écran, ce signal sexuel majeur. En est-il devenu hypergourmand ou au contraire en est-il blasé, mydriatisé ? Accumule-t-il des micro-excitations et rentre-t-il brûlant à la maison ? Ou est-il désensibilisé et, au retour, indifférent aux trésors de son amoureuse ? De toute façon, de vivre dans une ambiance sexuelle obsessionnelle ne rend pas nécessairement bon amant.

DOUBLE FONCTION

Le sein a une double fonction : nourrir l'enfant et réjouir la femme et l'homme ; bizarrement, la seconde s'alimente de la première. Autrement dit, les scènes mémorisées de l'enfance au sein sont partie prenante, bien qu'inconsciemment, de l'euphorie de l'adulte.

Ce double rôle a bien entendu embarrassé les Pères de l'Église au Moyen Âge : ils voulaient louer le sein de Marie qui nourrissait Jésus, mais ils ne voulaient pas faire la promotion d'un organe qui, d'autre part, était source de péché charnel. Seul avait droit de cité le sein maternel et nourricier. Alors, en se fondant sur une légende qui prétendrait que Jésus aurait refusé le sein gauche – comme certains saints dans leur enfance par la suite –, les Pères décrétèrent que le sein gauche était le sein du mari, c'est-à-dire celui du plaisir et de la luxure – en un mot d'Éros – et le sein droit celui de l'enfant. Toutefois, cette dichotomie n'avait pas cours durant l'allaitement, l'usage érotique du sein gauche étant aussi interdit. Ce qui aggravait la rivalité entre l'enfant et le mari, rivalité devenant extrême quand le petit, en suçant le téton, déclenchait une certaine jouissance chez la mère. Sans doute les Pères de l'Église feignaient d'ignorer le phénomène, sinon ils en auraient perdu leur latin.

LE PARADIS RETROUVÉ

On l'a dit, ce qui amplifie l'intensité du bonheur des amants (l'amante en introjectant les sensations et les états d'âme du mâle) jusqu'à être une véritable béatitude, ce sont les remontées des souvenirs, bien qu'inconscients, de l'enfance contre le sein de la mère. Paradis perdu dont nous sommes inconsolables.

« Je fouille la vase de mes origines à la recherche d'un seul souvenir lumineux de mes gencives affamées, rivées au sein, mon nez enfoui dans le globe nourricier. »

Philip ROTH

Il est vrai qu'une séquence d'allaitement constitue un corps à corps infini. Toute la surface du corps de bébé, spécialement son visage – son nez, sa bouche –, est en contact avec le corps de la mère –, son sein, son bras, son épaule, ses mains. Le visage de l'enfant est véritablement collé, pressé contre le sein, lequel est attrapé par les mains de bébé et aspiré, absorbé, englouti par sa bouche. Toute la peau a conservé la mémoire de ce bonheur, le goût du corps à corps.

Le désir du sein, c'est la tentative de retourner à la tiédeur des bras de la mère. Le sein est synonyme de douceur, de tendresse, de protection. Il est aussi le lieu où s'apaisait cette sensation désagréable, voire angoissante : la faim…

« Le goût et la couleur du lait brillent sur nos lèvres, quel que soit notre âge, comme le témoignage de la puissance de nos premiers festins. Quoi que l'on dise, nous sommes restés inconsolables de ces sublimes jouets de chair qui nous ont été enlevés un de ces mauvais jours. Toute leur vie, les hommes rechercheront ce paysage disparu (*Nda* : les seins qui allaitent) et les femmes en feront le haut lieu de leur féminité » (Christian Hiéronimus, *opuscitato*).

Ce paradis était d'autant plus précieux qu'il était le « rattrapage » du premier paradis perdu : la matrice dont l'enfant avait été expulsé violemment. Paradis où il flottait en paix dans la chaleur, le silence et l'obscurité, sans faim et sans douleur. Jeté sur terre, il allait rencontrer une blessante lumière, le froid saisissant, la dureté de toute chose, des déplacements fulgurants, des bruits, des cris. Jusqu'au moment où sa mère, en le soulevant et en le prenant dans ses bras, le blottit contre son sein. De cette idylle, l'humain conservera une incurable nostalgie. Et toute sa vie sera une quête d'un bonheur semblable ; et tout amour un retour aux sources ; et tout sein une plongée dans la mémoire.

Hélas ! si l'on parle beaucoup d'amour, si les seins s'affichent partout, trop d'êtres s'alanguissent faute d'avoir trouvé l'amour, d'avoir conquis le sein. Alors ils sucent tout ce qu'ils trouvent que vantent les publicités et qu'étalent les rayons des grandes surfaces : des bonbons, des barres, des glaces, bref, du sucre à gogo. Et ils tètent toutes les bouteilles qu'exhibe la publicité et qu'alignent les supermarchés : des sodas, des jus, des bières. Notre siècle est celui du suçage. Triomphe, ou avatars du sein ?

QUAND L'HOMME CARESSE LE SEIN

C'est un brûlant après-midi d'été, trop brûlant pour sortir de la maison. Grâce à l'épaisseur de son mur de pierre, la chambre a conservé une certaine fraîcheur. Vous êtes allongé sur le lit au côté de votre amoureuse, au-dessus des draps. L'ombre des volets dessine sur vos corps des traits de lumière parallèles. La chaleur porte à l'amour, l'après-midi y est propice, la pénombre vous inspire. Vous vous tournez sur le côté et contemplez votre aimée. « Comme tu es belle, comme tu es femme, je ne me lasse jamais de te regarder. » Elle tend une main vers vous, vous la prenez et la portez à votre bouche. Et des yeux vous parcourez à nouveau son corps avec amour autant que de désir.

Votre regard s'arrête sur un de ses seins, plus précisément sur la tache de l'aréole, qu'elle a fort brune. Posé dessus, charnu, rouge à souhait, le mamelon ressemble vraiment à une succulente framboise. « Je te plais toujours ? », demande l'amoureuse. Bientôt sous l'esthète perce le mâle, maintenant vous avez envie d'elle, de son sein encore sage mais tellement appétissant. Prendre son sein à pleine main ou dévorer son bout à pleine bouche ? Ces deux désirs montent soudain en vous.

Vous tendez le bras et prenez le globe à pleine paume, doucement mais fermement. Votre main ressent d'emblée un plein bonheur. Votre amoureuse inspire soudain profondément – Ah ! –, la main est bien faite pour empaumer le sein et le sein pour remplir la main. à l'instinct de l'homme de prendre le sein correspond le souhait symétrique de la femme d'avoir le sein pris. Vous vous rapprochez de votre aimée et vous vous blottissez, de bonheur débordant.

Cependant, au creux de votre paume, vous sentez le téton se durcir. Merveilleuse sensation ! Provocation autant que promesse ! Vous soulevez un peu votre main, dépliez vos doigts et promenez votre paume sur la dure pointe, qui y retrace les lignes de vie, de chance, d'amour. C'est insolite et troublant, ce soc dans les sillons palmaires. Vous avez envie de le voir, ce téton effronté. Et même bien plus. Vous vous redressez sur un coude.

D'un doigt léger vous décrivez des cercles sur le globe. C'est encore un plaisir d'esthète, la forme est parfaite, la peau si douce, douce comme nulle part ailleurs, douce comme du satin. Vous rapprochez vos cercles de l'aréole. Ça y est, vous y êtes. Vous percevez ses fines granulations que l'excitation accentue. D'une pulpe subtile, vous tournez sur le disque, en essayant d'éviter le mamelon, ce qui n'empêche pas celui-ci de se tendre un peu plus. Tendu comme cela, le téton est par trop tentant, vous menez votre doigt à son contact, vous tournez autour de lui, l'inclinez d'un côté puis de l'autre, le titillez, l'enfoncez dans le globe pour le laisser ressortir, le pincez entre deux doigts, le tirez. Le téton devenu cramoisi est plus que jamais tendu vers vous, vos lèvres tremblent d'impatience de le saisir.

Mais ce n'est pas encore le moment, pensez-vous. Et vous allez déposer des baisers exquis sur tout le globe, et le parsemez de léchettes. Puis, jouant avec le feu, vous tracez de la pointe de la langue des ronds en pointillés sur l'aréole.

Depuis le début de vos caresses de son sein, le plaisir de votre amoureuse ne fait que croître. Ses murmures continus de plaisir s'amplifient quand les délices s'exacerbent ; elle en marque les sommets de profondes inspirations couronnées d'apnées, que relâche une soudaine expiration. Ces manifestations redoublent l'appétit de l'homme, chacun entraîne l'autre vers plus d'ivresse, plus de sensibilité, plus de créativité.

Votre langue, à cet instant, ne résiste plus à l'attrait du mamelon. Vous vouliez le narguer, vous voilà à le déguster. Votre langue le titille de sa pointe, lui tourne autour, essaie de le pousser, d'un côté et d'autre. Mais lui, tendu de désir, raide de plaisir, se dresse de toute sa turgescence et refuse de s'incliner.

Très en verve, vous offrez maintenant au mamelon de votre Belle des jeux de bouche : vous faites glisser vos lèvres humides sur le bouton, comme s'il était un bâton de rouge à lèvres. Alors ce qui devait arriver arriva. Car c'était inscrit non seulement depuis un quart d'heure, non seulement depuis votre enfance, mais de toute éternité : votre bouche saisit le mamelon. Dès lors il n'est plus question pour vous de créer et de raffiner, votre bouche sait tout d'instinct et tout de mémoire. Vous voilà à sucer et à aspirer, en un mot à téter. Vous tenterez même de l'engloutir complètement, ce mamelon. Et même de le mordiller légèrement, vraiment très légèrement. Mais vous n'inventez rien, désormais, tout ce que vous faites, vous l'avez fait cent fois et plus, d'antan. Vos lèvres en ont conservé l'empreinte et la mémoire.

Votre aimée, il y a belle lurette qu'elle a décollé ; elle plane dans les cirrus de la volupté. L'orgasme, elle sent qu'il est là, à sa portée. C'est vrai que les femmes ont beaucoup de chance, elles possèdent tant de sites d'où elles peuvent jaillir au septième ciel. Le téton est de ceux-là. Pour l'expliquer, Hippocrate avait affirmé qu'un nerf reliait le bout du sein au clitoris, et Léonard de Vinci avait dessiné un canal interne qui allait du sein au sexe. On sait maintenant que les nerfs qui les relient passent par la moelle.

L'interaction entre le sein et le sexe se fait dans les deux sens. Les stimulations du mamelon provoquent la lubrification de la vulve et du vagin, l'intumescence des corps érectiles du clitoris et du vagin, et font se contracter l'utérus. Les mêmes effets peuvent se produire lorsque c'est le bébé qui tête. Inversement, les stimulations du sexe entraînent une « érection » du mamelon et le fronçage de l'aréole, tandis que le sein gonfle, se couvre de taches rouges. Il apparaît parfois un écoulement incolore ou laiteux au niveau des mamelons. Devant un tel potentiel érotique, une telle richesse sexuelle, l'homme pourrait se réjouir, mais trop souvent cela l'effraie. C'est toute l'histoire de la « mâle peur », qui gâche les relations entre l'homme et la femme. La solution : que l'homme perfectionne sa connaissance de la femme et son art érotique afin de combler sa compagne.

LA SENSIBILITÉ DES SEINS SELON LES FEMMES

La sensibilité mammaire varie selon les femmes, selon l'âge, et en fonction de la pathologie.

Certaines femmes n'éprouvent aucun plaisir ; on parle de « frigidité mammaire ». D'autres éprouvent même un désagrément, voire des douleurs. C'est banal avant les règles ; mais dans d'autres cas, c'est révélateur de maladies (mastose, maladie polykystique, cancer, etc.). À moins que ce ne soit psychique : c'est le cas des femmes qui ne sont pas fières de leur poitrine (petits seins, ptose, cicatrice, ou autre), le cas de femmes qui ne se sentent pas aimées (le sein est le reflet de la vie affective des relations avec l'homme), le cas de femmes qui redoutent des maladies (le cancer, le plus souvent), sans oublier les femmes qui ont une problématique névrotique.

CARESSE DES SEINS ET ÉPANOUISSEMENT

C'est un besoin pour la femme d'avoir les seins caressés. Elle se sent plus féminine et s'épanouit quand un homme s'en occupe bien ; en conséquence, ses seins aussi s'épanouissent – se développent, se raffermissent –, et elle se sent encore plus féminine. C'est un cercle vertueux.

Les caresses peuvent contribuer à améliorer certaines affections des seins ; j'ai cité déjà l'histoire de cette femme dont la mastose avait disparu sous les bonnes caresses de son amoureux. Une enquête dans la population zouloue a montré qu'elles pouvaient prévenir le cancer du sein. Inversement, d'être pas ou mal caressée peut entraîner des pathologies mammaires.

CARESSE DE LA FEMME À L'HOMME

Sur son thorax, l'homme ne présente pas une parure aussi admirable que celle de la femme. Toutefois, il a de quoi retenir l'intérêt de son aimante et éveiller des sensations tant chez elle que chez lui. C'est comme symbole de virilité et de puissance que s'impose le thorax masculin et qu'il émeut la femme. Ce « coffre » est impressionnant par son ampleur, les muscles bien visibles qui s'y dessinent – les fameux pectoraux – et sa riche pilosité.

Pas étonnant que l'amoureuse aime passer les doigts et les ongles à travers la toison, tâter, voire palper les muscles. Elle constate avec délice qu'il se laisse faire, qu'elle a bien dompté la force, peut-être même l'agressivité du mâle. Mais elle aime se faire peur car elle sait que cette force n'est jamais qu'en sommeil.

Néanmoins, sur ce torse, il n'y a pas grand-chose à se mettre sous les doigts, ni sous la bouche. Des poils, rien que des poils. Seul coin de peau, les mamelons, mais elle a déjà essayé de les stimuler, il n'aime pas. Il est en cela comme 95 % des hommes, ils n'aiment pas et, pis, ça leur est désagréable. Mais elle a lu qu'il fallait récidiver, et insister, et qu'après un temps de désagrément, le plaisir pointait. Elle décide d'essayer à nouveau. Elle l'excite d'abord par des baisers de feu donnés à sa bouche, ce qui lui fera secréter une bonne dose d'ocytocine qui l'enivrera. Et tandis qu'elle l'embrasse, elle fait glisser la pulpe de ses doigts tout autour du téton. Puis elle caresse celui-ci d'une main à plat qui passe et repasse. Maintenant, elle le titille d'un doigt léger. Il ne bronche pas, elle le titille plus fort. Il ne bronche toujours pas. Elle s'enhardit et se met à pincer tout doucement le bout. Alors il gigote et essaie de dire quelque chose, elle, elle renforce son baiser en enfonçant sa langue dans la bouche du grognant et continue de pincer, et même elle presse plus fort. Il gigote à nouveau et tente de parler, mais cette fois sans conviction. On dirait même que ça ne lui déplaît pas. C'est souvent comme cela, le téton de l'homme : un plaisir-douleur. Elle décolle sa bouche des lèvres aimées et relève la tête : « Tu vois que tu aimes. » « Tu m'as bien eu », râle-t-il. N'empêche qu'il fait maintenant partie des 5 % d'hommes qui apprécient.

Elle pose la tête sur le thorax velu pour le remercier de s'être laissé apprivoiser, elle flatte son pelage ; il s'abandonne et lui parle doucement. Sous son oreille, elle entend sa voix grave résonner dans le « coffre », et son cœur battre tranquillement. Ils sont plus proches que jamais. L'homme, pense-t-elle, n'est jamais si fort que quand il est doux.

Nota bene : les caresses du thorax peuvent entraîner de profonds mouvements respiratoires. En effet, le stress de la vie active provoque des contractures des muscles thoraciques, et donc une respiration trop superficielle. Le toucher, en détendant les muscles, libère le souffle.

CHAPITRE 2

Le ventre et le pubis

Le ventre, lieu de paradoxes qui nous rend puissant ou vulnérable. Puissant car c'est sur lui que s'appuie l'effort, le rire, le chant, le cri. Vulnérable parce que mou, le poignard y entre comme dans du beurre, parce que les émotions et les peurs qui nous prennent aux tripes nous terrassent.

LE VENTRE FÉMININ

Ventre de femme, juste bombé, lisse, satiné, qu'on a envie de révérer tant il recèle de mystère insondable, tant il réserve de miracle admirable. Lieu de vie, il fut notre première demeure. Et notre Éden. Paradis de flottaison où l'existence n'avait pas de poids. Paradis de silence ou plutôt de doux bruits : loin de la fureur du monde et si proche de la voix de la mère, du tic tac de son cœur. Paradis où la faim, le froid, la douleur n'existaient pas.

Lieu de plaisir aussi : celui de la femme, car c'est au sein de ses viscères que la femme jouit, mieux, c'est avec ses viscères. Lui, l'homme, ne saura jamais ce qu'est recevoir l'autre dans son corps, mais il sait ce qu'est aller à l'intérieur de l'autre. En vérité le sait-il vraiment ? Outre la volupté qu'il en ressent, est-il vraiment conscient d'être, ne serait-ce que partiellement, dedans l'autre ? Et sait-il que, ce faisant, il tente d'une certaine façon un retour à la mère, à la béate vie intra-utérine, et même, si l'on croit Ferenczi (*Thalassa*, Éditions Payot), à la « mer primitive » ? On peut voir dans la poche de liquide amniotique une « flaque thalassale », c'est-à-dire une portion de mer reconstituée. Sorties de la mer primitive pour habiter les terres émergées, les mammifères femelles reconstituèrent en leur ventre des portions de mer pour concevoir leurs petits. « Ô ventre palpitant de mémoire », chante Christian Hiéronimus.

Impressionné par le dôme, et sachant votre aimée dans l'appréhension, l'homme ose à peine poser les doigts dessus. Osez, mais avec délicatesse, glissez vos doigts sur le dôme, décrivez-y des arabesques, des lacis et des cercles centrés sur l'ombilic. Faites-le à fleur de peau, car ce n'est pas le lieu où on peut appuyer. Promenez-y vos ongles, mais en surface. Tout cela est léger mais suffit à émouvoir votre amoureuse.

Maintenant, penchez-vous, mieux : prosternez-vous et allez déposer un baiser sur la voûte, baisers subtils. Puis glissez vos lèvres sur le satin et arrêtez-vous de-ci de-là pour former d'autres doux baisers.

Ce qui fait aussi votre fascination pour le ventre, c'est que vous ne perdez jamais de vue que, juste en contrebas du dôme, il y a le pubis.

LE PUBIS FÉMININ

Ici s'affiche avec superbe le blason du corps féminin : le triangle pileux, pointe en bas. Il est comme un signal qui indique l'entrée du paradis.

Le triangle a subjugué nos ancêtres de la préhistoire, en particulier Monsieur Cro-magnon, le plus connu des *homo sapiens sapiens*. Des triangles, il en a dessiné partout sur les parois des grottes, ajoutant à la forme géométrique une demi-bissectrice à la pointe inférieure, figurant ainsi l'incisure de la vulve. Plus que des graffitis, ce sont des *ex voto* en hommage à la femme et en gratitude pour ce lieu, typiquement féminin, qui annonce à l'homme qu'incessamment il va perdre la tête et connaître un état de conscience qui l'arrachera à sa difficile condition. « Le divin est en vue », c'est ce qui est inscrit au bas du ventre de la femme.

Quand un jour le verbe s'est fait lettre, quand les mots se sont écrits, l'humain a pris pour signe le triangle, alias le coin : c'est l'écriture « cunéiforme ». Si ce n'est pas de l'amour, c'est de l'admiration obsessionnelle.

Il fallut attendre des millénaires pour que le triangle soit censuré. Ce fut le crime du peuple le plus civilisé, mais hélas le plus misogyne et le plus phallocratique aussi : le peuple grec. Le blason disparut des arts, et même de la vie quotidienne. Les femmes grecques, du reste recluses dans les gynécées, devaient s'épiler le pubis car leur « toison malodorante », au dire des hommes, rappelait trop les barbares hirsutes qui tentaient de les envahir. Quant aux statues représentant la femme, elles ne devaient pas figurer le pubis fleuri, et moins encore l'amorce de la chair de la vulve, pourtant apparente chez une femme réelle. Cette censure fut reconduite dans les siècles suivants : par les Romains parce qu'ils étaient aussi phallocrates que les Grecs, par les Chrétiens à la fois misogynes et sexophobes. Pour trouver une représentation du corps de la femme dans sa vérité et sa majesté, il fallut attendre le XIXᵉ siècle, avec Courbet et son fameux tableau *L'Origine du monde*. Mais l'œuvre resta longtemps cachée chez son acquéreur, Jacques Lacan.

Actuellement sévit une autre espèce de censure du majestueux triangle féminin : l'épilation, qui du reste peut s'étendre à tout le sexe de la femme, c'est-à-dire aux grandes lèvres de la vulve, jusqu'à l'anus (« épilation intégrale »). Cette mode terroriste atteint même les adolescents : les garçons ne tolèrent plus les filles non épilées. Une telle mode peut sembler paradoxale en ce temps où la sexualité envahit la planète de façon obsessionnelle. En vérité, cette phobie du poil révèle, en ce siècle de triomphe technique, un désir d'enlever à l'activité sexuelle son côté « naturel » et de la réduire à une technique quantifiable et contrôlable. Ce que confirmerait l'usage croissant des sex-toys et des accessoires pour obtenir le plaisir et l'utilisation des déodorants en vue d'éliminer les odeurs naturelles.

Revenons à notre amoureux, que j'ai laissé penché sur le triangle pileux, et fasciné, lui. Cher Monsieur, honorez et faites vibrer ce site. Passez vos doigts en peigne dans les bouclettes, superficiellement d'abord, puis plus en profondeur. Vous percevez alors, sous vos pulpes, la peau chaude et onctueuse du mont de

Vénus, amusez-vous à la gratouiller de vos ongles. Agréables sensations pour vous comme pour elle.

C'est le moment de vous incliner pour poser vos lèvres sur le fourré. Aussitôt de merveilleuses fragrances vous accueillent, alors profitez-en. De votre nez, furetez, tout en humant, et laissez-vous enivrer. C'est du reste à diffuser les arômes que sert la pilosité du lieu. Suaves sont celles des blondes – senteurs de seringat ou de jasmin –, capiteuses celles des brunes – santal ou feu de brousse –, fauves celles des rousses – lionne qu'agace le printemps. Vous retrouvez ici les fameuses phéromones, les messagers du désir. N'en ayez pas peur. Osez de grandes inhalations. Vous voilà au comble de l'excitation. La vie vous remplit, la vie vous emporte.

À cet instant, l'homme est aux portes du sexe de la femme. Ce sexe ne crève pas les yeux comme celui de l'homme, il n'est ni évident, ni criant, ni provocateur. Il est fermé, caché, intérieur, et pourtant c'est tout un monde aussi important en volume – voire davantage – que celui de l'homme, et bien plus complexe et voluptueux. L'homme peut opter de l'adorer aussitôt, ou il peut remettre sa visite et continuer son chemin à la découverte du corps.

LE VENTRE DE L'HOMME

Bien que le ventre masculin n'ait pas de quoi inspirer les mêmes émotions profondes, voire « métaphysiques », que le ventre féminin, il impressionne toutefois l'amoureuse. C'est qu'il donne, comme le torse, une impression de puissance virile, par son abondante pilosité, les reliefs de sa puissante musculature – les abdominaux – et par la fermeté de la paroi. C'est encore à un félin qu'elle a affaire.

Ce qui ne l'empêche pas de promener la main à la surface de la toison, de glisser les doigts entre les poils, dans un sens puis dans l'autre, le prenant ainsi à rebrousse-poil, de griffer des ongles la peau au fond. Comme sur le thorax, elle joue un peu avec sa peur. Un tigre qui fait patte de velours peut toujours se ressaisir, elle en a d'agréables frissons dans le dos.

Bien sûr, sa bouche ne trouve pas de terrain propice aux baisers et autres activités. Si, tout de même, le nombril pourrait être une bonne « cible ». Elle se penche sur lui, enlève un « minou » qui y était accroché, lui dit qu'il est beau, bien tourné. Elle pose un baiser, décoche une pointe de langue, puis plusieurs, histoire de taquiner son mâle. Pas de réaction époustouflante de celui-ci. Ça lui fait juste des chatouilles, c'est toujours ça.

LE PUBIS DE L'HOMME

La femme ne s'y arrête guère, toute son attention est captée par le pénis : qu'il se dresse ou non, il occupe ou plutôt envahit tout l'espace, il s'impose. Le pubis n'est que le point d'attache du pénis. Toutefois la femme note que la pilosité ici est différente de la sienne, elle est carrée de forme et bien souvent elle prolonge la pilosité abdominale. Qu'elle essaie quand même de jouer dans cet espace : caresser les poils, griffoter la peau dessous et, surtout, humer les fauves arômes qui l'embraseront un peu plus.

En ce qui concerne la verge, elle décidera ou de s'en occuper tout de suite, et elle lui offrira le top des caresses et des baisers ; ou de la laisser de côté et de continuer la promenade sur le corps de son aimé. Dans ce cas, qu'elle dise au pénis qu'elle l'adore, qu'il est le plus beau et que, très prochainement, elle se consacrera à lui.

CHAPITRE 3

Les membres inférieurs

LA JAMBE

Chez la femme

Le terme « jambe » désigne soit le membre inférieur en totalité, soit la partie comprise entre le genou et le pied. Considérons d'abord la jambe dans sa totalité. C'est, elle aussi, une partie du corps féminin qui fascine les hommes et que les arts ont particulièrement illustrée, en particulier par la danse et la peinture. Le triomphe de la jambe se situe à la fin du XIXe siècle et au début du XXe siècle : ce sont les belles guiboles sous les tutus qu'ont peintes Degas et tant d'autres, ce sont les « gambettes » (du latin *gamba* : la jambe) qui « gambillent », du french cancan, etc.

Ce qui fait la fascination des hommes pour les jambes féminines, entre autres, c'est leur imaginaire qui les conduit à remonter jusqu'au point de convergence desdites jambes : le sexe ; et à se les représenter dans l'activité érotique : s'écartant pour ouvrir le sexe de la femme et l'offrir au pénis de l'homme, ou bien se rapprochant pour saisir et entourer l'une ou l'autre partie du corps masculin, sa taille par exemple.

En deux mots : les jambes sont promesses de bonheur infini parce qu'elles sont les portes du paradis.

Chez l'homme

Ce qui excite dans le sexe qu'on n'a pas, ce sont les différences. C'est pourquoi les jambes de l'homme – considérées dans leur intégralité : les membres inférieurs – émeuvent et excitent les femmes par leur aspect viril marqué, encore ici, par la pilosité et les impressionnants reliefs des muscles.

Les muscles du membre inférieur sont particulièrement puissants, ils jouaient un rôle capital dans les activités du mâle : la marche, la chasse et le combat. La marche avait une importance majeure dans le déplacement des armées. Rappelez-vous Napoléon et la Grande Armée : ils campaient à Boulogne et se préparaient à envahir l'Angleterre. À ce moment, une coalition entre l'Autriche et la Russie rassemble une armée, en Tchécoslovaquie, qui menace la France. Pour lui faire face, l'empereur suspend ses plans et dirige à marche forcée ses soldats vers la Tchécoslovaquie ; plusieurs centaines de kilomètres parcourus en quelques jours. Ce fut la victoire d'Austerlitz.

LES CUISSES

Chez la femme

Le rôle de la cuisse dans l'activité sexuelle est attesté par des expressions comme « droit de cuissage », « cuisse légère ».

L'accès à l'intimité de la femme n'est possible que si cette dernière écarte les cuisses volontairement (ou si elles sont ouvertes de force par viol). Le muscle qui effectue le merveilleux mouvement d'ouverture est le muscle « abducteur », le grand ami de l'homme. Une femme qui refuse la « pénétration » ferme les cuisses ; le muscle qui permet ce mouvement est le muscle « adducteur », d'où son nom latin : *custodiam virginatis* (le gardien de la virginité). Puissiez-vous, hommes, être toujours le préféré de l'abducteur.

À la vue de la cuisse, l'homme est profondément ému par sa beauté, car sa forme est parfaite ; certains poètes ont parlé de « colonne d'albâtre ». L'homme est surtout vivement excité ; il imagine les trésors extraordinaires autant que mystérieux qu'elle pourrait dévoiler si elle s'ouvrait, et les plaisirs à nul autre pareil qui s'ensuivraient. La cuisse en soi, c'est déjà une promesse.

Dans un premier temps, contemplez-la simplement. Je sais que vos mains fourmillent de désir, mais le désir fait partie du plaisir. Puis commencez par glisser une main déliée sur la belle surface. Comme sa peau est lisse et tendre ! Remontez-la dans un sens, redescendez-la dans l'autre, d'un toucher admiratif. Vous avez maintenant envie de plus ? De la presser et de la palper entre le pouce et l'index ? Allez-y, mais en modérant votre force. Je sens que ce n'est pas seulement par plaisir et pour donner du plaisir que vous vient cette envie. Vous voulez vous assurer que vous ne rêvez pas, que cette femme est bien là et vous fait ce cadeau.

Maintenant, votre excitation l'emporte sur votre admiration, aussi descendez-vous la main vers la face interne de la cuisse. Parfois la femme écarte spontanément l'espace, d'autres fois c'est à l'homme de tirer le membre vers l'extérieur. La peau ici est d'une qualité tout à fait étonnante et particulièrement excitante : sa douceur est incomparable, elle est lisse, elle est chaude, elle est moite. Là, nous sommes déjà dans l'intime.

Bien entendu, votre euphorie vient aussi du fait de savoir qu'un peu au-dessus se trouve le plus secret, le plus sacré de la femme, le tabernacle. Se présente alors à vous deux options : aborder la vulve ou continuer vos caresses sur l'ensemble du corps féminin. Vous décidez de poursuivre votre voyage par monts et par vaux.

Chez l'homme

Sur l'avant se trouve le quadriceps, le muscle le plus puissant du corps mâle. Contracté, il apparaît dans toute sa force et sa beauté et impressionne l'aimée. Mais la peau couverte de poils n'est pas très sensible et, si la femme a quelques plaisirs à la caresser, cela ne procure pas à l'homme de sensations inoubliables, même si l'aimée y passe les ongles. Par contre elle serait mieux inspirée de palper à pleines mains la chair musclée, elle fera « bonne chair », tout en réjouissant son mâle.

Bien entendu, l'aimante a également envie d'aller faire un tour sur la face interne de la cuisse ; là elle rencontrera une peau bien différente : la pilosité se raréfie et disparaît et la peau s'affine et devient plus sensible. Sur le haut, elle est carrément glabre et très sensible. C'est alors que l'aimante tombe – si j'ose dire – sur les attributs de l'homme. On le sait, l'homme a ses organes sexuels à l'extérieur. Les bourses sont là, le plus souvent pendantes et étalées (elles se ramassent en contractant les muscles crémasters que peu de temps avant l'orgasme, ou sous l'effet du froid). Le pénis, lui, crève l'écran, car alerté par les caresses précédentes, il s'est mis sur son trente et un. C'est dire si des fourmillements de désir envahissent les mains et la bouche de l'amoureuse.

Malgré son envie, elle reprendra la route sur le corps de l'homme, car c'était son dessein d'en parcourir les chemins buissonniers.

JAMBES DE FEMME, CARESSES D'HOMME

Vous voici revenu sur la cuisse dans l'intention d'atteindre le genou. Allez-y, mais vous n'y trouverez pas la moindre sensation valable. De l'os rien que l'os ; en un mot : la rotule. C'est pareil pour la face antérieure de la jambe, de l'os à fleur de peau : c'est la crête du tibia ; une zone très sensible à la douleur mais pas au plaisir. Vous pouvez néanmoins l'effleurer d'un doigt distingué, non pour le peu de sensations que vous ressentirez ou délivrerez, mais pour rendre hommage à une partie infiniment belle et précieuse du corps féminin. C'est une admirable colonne rectiligne et sobre qui prolonge l'élan de la cuisse et qui, c'est évident, n'a pas été créée pour permettre à la femme de marcher mais pour embellir le monde et agrandir les yeux de l'homme.

Nota bene : la jambe contient des veines, les unes profondes, les autres superficielles, vaisseaux qui remontent le sang depuis le pied vers le cœur. Quand vous caressez profondément, et a fortiori quand vous massez, il faut que votre geste se fasse de bas en haut, pour aller dans le sens de la colonne de sang ; vous redoublerez d'attention s'il y a des varices ou des antécédents de phlébite. Alors votre caresse sera bénéfique et contribuera à diminuer l'œdème des chevilles.

JAMBES D'HOMME, CARESSES DE FEMME

Le genou et la jambe de l'homme, c'est également rien que de l'os, et en plus c'est, en ce qui concerne la jambe, couvert de poils. La femme n'y trouve guère de sensations à grappiller ou à dispenser. Mais elle sent combien cette partie de l'homme est faite pour déclencher le bond et la course, et ça l'émeut.

CHAPITRE 4

Le pied

LE PIED, RÉFLEXIONS GÉNÉRALES

En raison de certaines expressions comme « c'est le pied » ou « prendre son pied » pour exprimer les plaisirs les meilleurs, on pourrait croire qu'on a affaire à une partie du corps extrêmement voluptueuse. Ce n'est pas aussi simple.

Autrefois, le pied avait une importance dont on n'a plus idée aujourd'hui. À part les plus fortunés, qui utilisaient des porteurs ou des chevaux, tout le monde se déplaçait à pied. Aussi celui-ci faisait l'objet de soins attentifs et de considération, voire même de vénération. Laver les pieds d'un hôte n'était pas seulement un geste d'accueil mais aussi un geste « thérapeutique ». En témoigne, en particulier, la fameuse scène des Évangiles : alors que Jésus était invité chez un aristocrate – un pharisien –, une femme prétendue de mauvaise vie survint et lava les pieds de Jésus avec ses larmes et les sécha avec ses cheveux. Cet hommage lui valut la promesse, de la part de Jésus, d'accéder au Paradis (Luc, 7 : 18-36).

Le pied de la femme est encore un symbole de féminité. Il ne peut qu'être « mignon » et objet de vénération aussi bien que de désir. C'est comme objet de désir que les anciens Chinois l'avaient emprisonné et comprimé dans des chaussures très courtes, faisant croire qu'ils voulaient le rendre plus beau, alors qu'ils le réprimaient et limitaient de cette façon les déplacements de la femme. Parfois, le désir de l'homme se déplace sur ce qui habille le pied de la femme : les souliers. Et cet objet à lui seul peut déclencher la jouissance de l'homme. Il s'agit alors d'une conduite « perverse ».

Devant le pied de l'aimée, la première idée qui vient c'est d'y poser un baiser, acte d'adoration et non de soumission. Et même si cela était, l'homme n'en serait que grandi. La « soumission à la Dame » apparaît, au XIe siècle, dans la mystique érotique des Arabes. « Ne blâmez pas un souverain de s'abaisser ainsi devant l'amour car la soumission est belle, pour l'homme libre, quand il est esclave de l'amour », s'exclame al-Hakam, calife de Cordoue. « L'humiliation de l'amour est une seconde royauté », renchérit al-Mustain, autre calife de Cordoue.

Alors continuez d'adorer le pied de votre aimée par de pieux baisers sur le dos de ce pied, sur les chevilles. Et admirez sa forme gracieuse, les fines attaches des chevilles, la gracilité des orteils.

Cependant, en ce qui concerne la volupté, cette face supérieure du pied est quasi sans intérêt, les os sont juste sous la peau, ça manque de chair, et le tégument n'est pas du genre à s'emballer. Allez quand même faire un tour du côté des orteils, ils vous réservent des sensations rigolotes si vous leur offrez certaines cajoleries : glisser un doigt dans les interstices interdigitaux, ou bien saisir les orteils entre le pouce et l'index les uns après les autres et les tourner et tirer dessus, ou bien passer la langue dans les espaces ci-dessus nommés « interdigitaux », ou encore sucer un à un les orteils. Voilà autant de jeux qui surprendront et réjouiront votre aimée et lui donneront beaucoup d'agrément. En tout cas, soyez sûr que la dame en conservera un souvenir marquant.

Nota bene : ne pas mordre les orteils, c'est extrêmement douloureux. Laissez cette pratique aux croque-morts, qui veulent s'assurer de réalité d'un décès.

Et si maintenant vous vous occupiez de la plante ; elle est plus charnue et plus jouissante. Surtout, pas d'effleurements légers, qui feraient un effet de chatouille et seraient mal supportés. Et, bien sûr, pas de chatouilles, en tout cas ne pas les imposer de force, c'est insupportable et anti-érotique. En revanche, n'hésitez pas à prendre la plante à pleine main et à masser fermement et profondément. Cela fait un bien fou : ça détend, ça remplit de bien-être, ça défatigue, c'est vraiment « le pied ». Votre amoureuse sera pleine de gratitude à votre égard. Vous pourriez perfectionner votre art en apprenant des techniques de massage du pied, ou même en étudiant la « réflexothérapie » de la voûte plantaire.

Confidences entre hommes : la caresse des pieds que vous pratiquez par tendresse aura d'heureuses retombées pour vous : non seulement votre amoureuse sera adorable envers vous, mais en plus, elle ne posera plus ses pieds glacés sur votre ventre pour que vous les réchauffiez, car vos caresses les auront rendus tout chauds. Si elle les pose, c'est pour jouer...

LE PIED DE L'HOMME ET LA FEMME

Ne croyez pas que le pied d'un guerrier ou d'un chasseur, ou encore d'un potentiel coureur de marathon, soit très différent. C'est plus large, c'est plus costaud, mais seuls sont sensibles les orteils et la plante. Alors vous savez ce qu'il vous reste à faire.

PARTIE VIII

LA FACE POSTÉRIEURE DU CORPS

CHAPITRE 1

Le cou

LA FEMME

Votre aimée est assise sur le bord du lit, ou sur un sofa ou une chaise. Vous vous tenez derrière elle et, avant même de la toucher, vous la contemplez. Elle a relevé ses cheveux en chignon, dégageant ainsi ses épaules, son cou, et sa nuque. Sous cet angle, la femme est si belle, ses formes si gracieuses, ses courbes si parfaites que les peintres et les photographes aiment à la représenter. Elle est aussi si érotique, mais pas en première intention, le désir se cachant sous l'admiration.

Une telle beauté ne peut qu'attirer un doigt léger qui suit les courbes, admiratif. C'est ce que vous faites, Monsieur, et vous ne cessez de passer et repasser la pulpe de votre doigt le long du cou, sur les épaules, contemplatif, ravi.

Et c'est encore avec retenue que vos lèvres s'avancent pour poser un baiser léger, au plus beau de la courbe, quand descendant de la nuque elle s'incline vers l'épaule.

Mais chez le mâle le gourmand n'est pas loin du gourmet, le sauvage du poète, les babines des lèvres. Au contact du cou votre sang n'a fait qu'un tour, vos dents se sont agacées. Comme tous les mâles le font, du lion à l'étalon, de l'âne au coq, l'envie vous est venue de planter vos incisives dans ce cou que vous admirez tant. Mais votre vernis de civilisé vous permet juste de le mordiller.

La ligne courbe qui va de la base du crâne à l'épaule correspond aux muscles trapèzes. Ceux-ci constituent les haubans qui fixent la tête. Sacré travail quand on sait que la tête pèse plusieurs kilogrammes, sans compter le poids des soucis, et qu'elle est sans cesse en mouvement, comme une girouette. C'est dire que les trapèzes sont le plus souvent contracturés et douloureux.

Voici votre aimée qui rentre du travail soucieuse, éventuellement stressée. Comme vous avez lu le premier *Traité des caresses* et que vous aimez cette femme de tout votre cœur, de toutes vos mains, vous lui proposez de lui masser le cou. Elle, « elle vous a vu venir » et croit que vous avez envie de faire l'amour, comme si les hommes ne pensaient qu'à ça. Elle vous dit de ne pas la toucher, qu'elle n'a pas « la tête à ça ». « Je ne veux nullement te caresser ni faire l'amour. Seulement te détendre, t'enlever ton mal de tête, ou plutôt ton mal de cou. » Elle accepte. D'abord, vous posez vos mains bien chaudes (vous les réchauffez en les frottant l'une contre l'autre ou en les approchant d'une source de chaleur si nécessaire) ; la chaleur fait partie du « traitement ». Vous sentez qu'entre vos deux peaux il y a « quelque chose » qui passe – vibrations, ondes, radiations ? Elle se détend, mais sous la peau vous sentez la corde tendue des trapèzes. Alors, avec la pulpe d'un doigt, vous appuyez assez profondément en un point, puis en un autre. Ça déclenche une douleur vive, un peu « exquise », car ça fait mal et en même temps ça fait du bien, c'est douloureux et agréable. Votre aimée dit « aïe » et en même temps elle attend que vous continuiez. C'est de l'ordre du sucré-salé. Vous déplacez ainsi vos mains le long des trapèzes.

Maintenant, vous prenez carrément les muscles entre le pouce et l'index et vous palpez, pressez, massez. Ça fait plus mal encore et votre aimée ajoute à ses « aïe » des gigotements, mais elle laisse faire. Bientôt ses muscles cessent d'être douloureux, elle ressent un immense bien-être, elle plane d'euphorie. Et c'est elle qui tourne la tête et tend ses lèvres. Elle est prête à plus. C'est à ce moment que la Cocotte-Minute se met à siffler, exigeant votre présence à la cuisine.

L'HOMME

Le cou de l'homme donne, lui, une impression de puissance, on parle parfois même de « cou de taureau ». Ce qui ne l'empêche pas d'être sensible aux caresses, aux léchettes et aux mordillements. La fossette sous l'occiput apprécie particulièrement d'être gratouillée avec les ongles.

Cette puissance n'évite pas à l'homme les contractures douloureuses dues aux tensions nerveuses, aux soucis, au surmenage. Douleurs que l'homme tente d'ordinaire d'apaiser, au retour du travail, avec un verre d'alcool ou un comprimé de tranquillisant ou d'antalgique. Désormais, pourquoi sa chérie ne lui proposerait-elle pas une séance de caresse massage ?

CHAPITRE 2

Le dos

Immense étendue, hauts plateaux, grand désert, vaste plaine, champ de bataille, charge de cavalerie, grand et vide, le dos attend. Attend et se souvient.

Se souvient de ce terrible temps où nous nous sommes redressés sur nos pattes arrière, lui mettant tout sur le dos, lui faisant tout porter : la tête par-dessus tout, et qui n'arrêtait pas de grossir. « Croyez-vous, dit le dos, que c'est facile de porter à bout de colonne vos tonnes d'idées, surtout quand elles vous pèsent ? Croyez-vous que c'est drôle de sans cesse se fléchir, se redresser, se tourner, se retourner ? Toujours au boulot du matin au soir, moi j'en ai marre. » Oui, le dos en a plein le dos, il a beau faire le dos rond ou le gros dos, il n'en peut plus.

Alors le dos attend votre main, une main qui se tend, qui porte avec lui, et surtout une main qui se pose. Car le dos a aussi de bons souvenirs : oui, là entre les deux omoplates, il y a des traces sur la peau, des traces qui appellent. C'était il y a si longtemps, mais c'est comme si c'était hier : une main se posait là quand ELLE me portait dans ses bras. Là où une autre main, vingt ans plus tard, s'est posée quand j'ai dansé avec ELLE, une autre, mais semblable. Deux traces de mains dans mon dos, comme en portent les parois des cavernes préhistoriques.

Et un jour, un jour de gloire, un jour de zénith, deux mains se sont pressées à s'enfoncer sur mon dos, tandis qu'ELLE plaquait son corps sur le mien. Étreinte, ta trace est tout derrière, tout devant. Depuis, cherche mains désespérément.

Ce qui caractérise le dos, c'est son étendue et sa platitude, qui sont propres aux humains. Le dos des animaux, à part nos cousins les primates, est fait d'une arête rectiligne, saillie de la colonne vertébrale, suivie d'une pente qui rejoint les flancs.

CARESSE DE L'HOMME À LA FEMME

La surface du dos féminin est une immense page blanche où l'homme pourra inscrire une infinitude de caresses et de baisers. Cette peau, Monsieur, aime les effleurements du bout de vos doigts ou de vos ongles. Elle se régale quand vous dessinez de la pulpe d'un doigt des arabesques, des cercles concentriques, des lacis. Elle raffole quand vous écrivez des mots, voire des phrases : le prénom de votre aimée, le vôtre, ou « je t'aime ! » ou « m'aimes-tu ? ». Demandez alors à votre amoureuse de deviner ce que vous avez écrit. Si elle n'a pas réussi à « lire », réécrivez plus lentement. Mais cette peau aime aussi des mains plus appuyées, aussi, n'hésitez pas à la masser tendrement.

Maintenant, d'un pas de loup, rendez-vous sur le côté du dos, là où il s'arrondit pour former le thorax, où les côtes s'incurvent vers l'avant. Vous y découvrez une zone de grande magnitude en matière de sensibilité et d'une grande aptitude à la volupté. La peau y est très fine et exquisément chatouilleuse : c'est la naissance du sein, sous le dôme du creux axillaire. En réalité vous connaissez bien la zone, vous l'aviez abordée par l'avant. Écartez doucement le bras de votre aimante et promenez une pulpe légère sur la peau qui descend de l'omoplate vers le creux axillaire. Puis glissez-la plus avant sur l'implantation du sein. Frissons et délectations garantis tant chez elle que chez vous.

C'est alors que d'exquis arômes honorent vos narines et vous troublent. Laissez-vous enivrer, allez à leur rencontre, penchez-vous sur le creux axillaire et humez-en les vapeurs. Enfoncez-y le nez, malgré les protestations de votre amoureuse.

Remarquable aussi, sur le dos, son axe central, cet alignement de saillies osseuses qui correspond à la colonne vertébrale. Celle-ci est bordée de chaque côté par des muscles qui courent le long d'elle et font office de haubans qui la tendent. Amusez-vous à passer vos doigts, puis vos lèvres, sur les bosses des vertèbres. Ensuite, les choses sérieuses commencent : ces muscles dits latéro-vertébraux, ce sont eux qui en ont « plein le dos ». Surmenés par le travail, malmenés par le stress, ils sont contracturés, endoloris. Caressez donc la peau qui les recouvre, doucement, rayez-la d'un ongle dévoué. Il s'agit d'abord de faire sourire le muscle. Maintenant, palpez la zone avec le bout des doigts, assez intensément, assez profondément pour que le muscle prenne cela au sérieux. Enfin, massez à pleines mains. Alors le muscle se détend, la contracture s'éloigne, il retrouve sa force tranquille pour quelque temps. Et votre amoureuse de flotter dans une douce euphorie. Ce qui vous comble de bonheur.

CARESSE DE LA FEMME À L'HOMME

Le dos de l'homme est imposant par sa largeur et sa puissance, mais sa sensibilité, hormis l'absence de la naissance du sein, est identique à celle de la femme – encore faut-il que l'homme s'abandonne aux mains de son amoureuse. Celle-ci, à moins d'être spécialement musclée, jouera plus sur les caresses que sur les massages.

CHAPITRE 3

Les lombes

RÊVES D'HOMME

Tu sommeillais encore, par ce joyeux matin de printemps. J'ai posé le plateau avec le thé sur le guéridon. J'ai ouvert les volets de la porte-fenêtre qui donne sur le jardin ; un pan de soleil a aussitôt illuminé ton corps. Tu reposais sur le ventre, nue.

Doucement je me suis agenouillé sur le lit. Je t'ai contemplée. C'est le creux de tes reins, que la lumière creusait un peu plus, qui m'émut à l'instant. Entre ton dos que ton souffle soulevait paisiblement et le rebond de tes fesses à demi recouvertes du drap, il était comme un ample et paisible vallon. Le jour frisant lissait l'imperceptible duvet de ta peau.

J'ai fait glisser la pulpe de mes doigts, juste l'extrémité, sur l'ensellure. Tu n'as pas bronché. Mais sous mes pulpes j'ai perçu comme une fine onde qui te parcourait, et tu as inspiré profondément. Mes doigts ont fait le chemin inverse. Puis je me suis incliné pour poser mes lèvres au plus concave. Tu as murmuré, puis tu t'es retournée en me tendant les bras. Brûlure de ta peau émergeant du sommeil, tissée à l'odeur du jasmin et aux trilles des grives. Bonheur absolu.

LOMBES DE FEMME, CARESSE D'HOMME

Vous voilà arrivé sur les lombes, cette partie du corps entre dos et fesses. La colonne vertébrale s'y creuse vers l'avant. C'est « l'ensellure lombaire », ou « creux des reins », zone aussi belle qu'érotique. Les artistes ne s'y sont pas trompés, eux qui ont le génie de découvrir et de représenter ces lieux qui inspirent tout à la fois l'éblouissement et l'appétit.

Notre fascination pour les reins est sans doute une réminiscence des bonheurs que nous avions de les contempler du temps où nous faisions l'amour exclusivement par le versant postérieur (c'est-à-dire pendant des millions d'années). À moins qu'elle ne soit liée à l'embrasement de notre imaginaire quant au rôle de charnière que joue cette zone dans les ébats sexuels, charnière entre la colonne lombaire et le sacrum, tant chez la femme que chez l'homme, et quelles que soient les positions. On imagine bien le bassin de l'un et de l'autre allant et venant, avançant et se retirant, éveillant plaisirs et gémissements à chaque mouvement.

Les lombes, Monsieur, se caressent de multiples façons : subtilement, avec des doigts de joueur de mandoline, pinçant une corde ici ou là. Ou à pleine main, comme le boulanger le fait dans son pétrin. Entre surfer de la pulpe des doigts et masser en profondeur, vous pouvez ici tout inventer, tout expérimenter, y compris griffer, embrasser, mordre.

Nota bene : À la jonction de la dernière vertèbre lombaire et du sacrum, là où est précisément la fameuse charnière, se trouve un point particulièrement jouissif, appelons-le « point L. S. » – lombo-sacré. D'y appuyer, tout en la tournicotant, la pulpe d'un doigt éveille une bizarre sensation faite de plaisir associé à une envie de faire l'amour. Cela ne coûte rien d'essayer.

Le creux des reins se prolonge sur les côtés par la taille. Chez la femme, elle est particulièrement pincée, ce qui lui donne une forme de violon caractéristique de la féminité. Et comme souvent, cette forme naturelle, la mode l'a exagérée, quitte à entraver la femme : c'est le cas des guêpières, qui donnent à celle-ci une taille de guêpe. Mais de toute éternité la taille de la femme était faite pour la main de l'homme : c'est là qu'elle se pose dans la balade ou dans la danse pour le plus grand bonheur de l'aimée.

Les flancs, alias la taille, sont particulièrement sensibles, et même chatouilleux. Donc une aire de jeux à ne pas rater. Suivez, Monsieur, la déhiscence de vos doigts subtils, en la descendant et en la remontant ; empaumez-la à main pleine. N'hésitez pas à prendre, certes avec douceur, la peau entre la main et le pouce, comme on le fait de la peau d'un lapin ; c'est fin, c'est souple. Griffotez, pinçotez, c'est l'amour qui manque le moins, comme je le dis toujours. En tout cas toujours en gentleman. Je serais étonné que votre aimée ne pousse pas quelques soupirs de contentement et n'esquisse pas quelques mouvements trahissant des émotions plaisantes.

LEÇON DE LOMBES, CÔTÉ FEMME

Les lombes de l'homme n'ont rien de particulier, si ce n'est que leur charnière – le point L. S. – est spécialement sensible. D'y tourniquer la pulpe d'un de vos doigts, Madame, peut éveiller chez votre mâle une envie de pénétrer, vous devinez quoi… quant aux flancs masculins, ils sont à peine pincés mais tout aussi chatouilleux.

La femme offrira à son amoureux des caresses semblables à celles qu'elle a reçues. Elle choisira d'y ajouter les jours de gala une caresse qui pourrait surprendre son homme. Mais ne dit-on pas que pour que dure l'amour il faut surprendre ? Au comble de l'excitation, la sienne et celle de son amoureux, elle prie celui-ci de se mettre sur le ventre. Il se demande pourquoi ce faire, mais on sait que l'homme en désir se laisse mener par le bout du nez, si j'ose dire. Le voilà allongé sur le ventre, non point vraiment inquiet mais s'interrogeant. Alors l'aimante l'enjambe et se place à cheval sur ses lombes – ne dit-on pas « l'ensellure lombaire » ? Lombes qui n'ont jamais osé rêver d'un tel spectacle et de telles sensations. La vulve béante, que la femme a eu l'audace d'écarter un peu plus, communique à la peau son feu et sa lave. Oui, c'est un cratère qui s'est posé sur l'homme. Immobile, la femme imprime le brûlant cachet de sa vulve. Puis, avançant quelque peu celle-ci vers l'avant ou vers l'arrière, elle trace un sillon mouillé et brûlant sur le corps de l'homme. Celui-ci, épaté, ne dit rien. La balle est dans le camp de l'aimante.

CHAPITRE 4

Les fesses

MERVEILLEUX SIGNAL

Vous voici sur le haut lieu de l'anatomie féminine, le signal sexuel immémorial.

En effet, bien que les humains, lorsqu'ils se sont dressés sur leurs membres inférieurs, aient transféré l'union des sexes sur la face antérieure, et bien que les fesses, si l'on en croit Desmond Morris, aient leurs équivalents devant (les seins), il n'en reste pas moins vrai que :

Nous continuons quand bon nous semble de nous joindre par l'arrière de la femme.

Nos fesses restent des signaux sexuels, je veux dire les fesses féminines ; c'est biologique, c'est ainsi que les choses se passaient chez tous nos ancêtres hominidés et se passent chez nos cousins les primates : c'est la femelle qui doit porter les fesses attrayantes.

C'est donc tout naturellement que les fesses féminines sont d'une beauté parfaite, leur rondeur étant assurée par un rembourrage de tissu adipeux. On notera qu'en l'occurrence la nature a fait d'une pierre deux coups : ici, la graisse accumulée sert aussi de garde-manger pour d'éventuelles grossesses et lactations. Voilà pourquoi, Monsieur, votre femme a ces fesses-là. En effet, si elles ne servaient que de verrou musculaire pour fixer la colonne lombaire sur les fémurs, elles seraient plates comme les vôtres.

BIZARRE CONFUSION

Il est curieux que l'on utilise le mot « fesses » quand on veut désigner le sexe de la femme. Ce ne peut qu'être un vestige des temps où, lorsque nous étions encore quadrupèdes, la femme s'abordait uniquement par le versant postérieur, vestige confirmé de nos jours par le fait que l'abord *a tergo* continue de se pratiquer (il fait partie de la panoplie des « positions »). La confusion fesses-sexe peut s'expliquer aussi par le fait que la pénétration du vagin est sans doute plus aisée par l'arrière, bien que son orifice soit situé au centre du périnée, à égale distance de l'avant et de l'arrière. Dans la confusion joue aussi le fait que les fesses constituent le signal majeur, et sans doute prend-on le signal pour l'organe.

Enfin, dans la confusion, doit jouer le fait que le sexe de la femme est invisible, car totalement intérieur. Sur une femme nue, on ne voit par l'avant qu'une très minime portion de la vulve, du reste cachée par la pilosité ; et par l'arrière, on n'en voit rien, les fesses occupant toute la région. Mais si la femme se penche, l'ensemble de la vulve apparaît ; il y a alors une forme de continuité entre les fesses et le sexe, d'où l'association dans une même image des fesses et de la vulve.

En tout cas, ce qui est sûr, c'est que l'usage du terme « fesses » n'évoque nullement la pénétration anale ; la sodomie, bien qu'en vogue, reste le fait d'une minorité ; et encore, parmi celle-ci, seul un très faible pourcentage déclare en faire une pratique régulière, les autres disant la pratiquer occasionnellement, ou même déclarant avoir essayé une fois (Inserm, Enquête C.S.F., mars 2007).

Quoi qu'il en soit, les fesses jouent à merveille leur rôle de signal sexuel suprême car la main ne peut résister à leur attrait. Si la main appartient à un être aimé et aimant, alors la femme donne son feu vert, c'est-à-dire qu'elle va permettre à l'homme de jouer sa partition et se permettre à elle-même de libérer sa réceptivité, qui est exquise.

FESSES DE FEMME, CARESSE D'HOMME

Votre aimée étant étendue sur le ventre, ses fesses vous offrent le plein de leur convexité. Dans un premier temps, osez rester à contempler ce site qui est non seulement le symbole suprême de la femellité, mais qui, esthétiquement, est encore une forme parfaite dont la nature, une fois de plus, a gâté la femme. Si bien que le premier geste que la fesse vous inspirera sera d'adoration : allez poser un baiser à son sommet. L'aimée apprécie et son cœur gonfle de gratitude, car ce geste, quasi religieux, en répare tant d'autres qui étaient violents, dégradants, et sacrilèges.

Vous ne pouvez, Monsieur, retenir plus longtemps votre main ? Soit, offrez, pour commencer, de simples effleurements du bout des doigts. C'est très émouvant pour votre aimée et déjà terriblement délicieux ; cela lui procure des vagues de frissons qui parcourent tout son corps.

Votre excitation croît et dans votre paume des impatiences se mettent à fourmiller. Ne vous retenez pas plus longtemps, allez poser une main à plat sur la belle surface ; du reste, votre amoureuse n'attend que cela. Ne bougez plus, maintenant, prenez bien conscience du bonheur fou que ressent votre peau et de celui aussi fou de la peau de votre adorée. Sensation et émotion incomparables pour vous de prendre le trésor féminissime et pour elle de vous l'offrir. Et chacun de s'abandonner à cette caresse, à cette prise qu'elle a permise et même aspirée.

Pour l'un et pour l'autre, la joie est autant dans la tête que dans la peau. Pour la femme, offrir ses fesses est quelque chose de très impliquant ; pour l'homme, la saisir est très comblant, en ce sens que c'est le couronnement de tous ses fantasmes, rêves et désirs. Mais ce qui est jubilation dans les têtes est aussi jouissance et réjouissance dans les peaux. La main masculine se régale de la rondeur du lieu, une rondeur pleine qui remplit la paume comme le faisait aussi le sein ; se régale aussi de la lisse douceur du tégument. La fesse féminine, à ses frissons, substitue une volupté profonde de pleine chair : « Je suis une fesse, j'accueille, je jouis, et alors ? »

Vous avez entendu, vous vous mettez à presser la fesse, à la pétrir. Plus possessif ou plus cannibale, voilà que vous incrustez vos ongles, et tentez de mordre. Tenter, car ici la chair est trop ferme et ne laisse pas de prise aux dents. Et tant mieux car les femmes n'apprécient pas, c'est douloureux. Mais vos pétrissages, votre aimée les adore, elle s'exalte et exulte. Des « hum » de bonne chair et des gémissements dont vous ne savez que penser : plaisir intense ou début de douleur (question que se pose souvent l'homme, mais qui peut stimuler sa légère tendance sado) ? Le tout accompagné de soubresauts.

Tout cela, en vérité, n'est encore que galanterie. Mais on a beau être galant on n'en est pas moins mâle. Et fatalement – et bien heureusement –, votre main va être attirée irrésistiblement par le versant interne des fesses. La pente est douce car encore arrondie, mais c'est votre instinct qui vous conduit désormais et qui, du reste, rejoint celui de votre aimée. Car sa peau révèle ici une sensibilité éblouissante. Votre doigt qui surfe subtilement sur le sillon interfessier y déclenche une cascade de séismes de plaisir, et donc, dans la gorge de votre aimée, une curieuse alternance d'onomatopées jouissives ou protestataires. Et son corps de s'agiter comme si cette volupté était insoutenable. Vous y voyez l'occasion d'appliquer ce que vous croyez être une loi de la psychologie féminine : quand la femme dit « non », elle veut « oui ».

Aussi vous approfondissez, bien que subrepticement, vos caresses. Et au fond du sillon vous tombez sur un trésor – l'astre anal – qui semble vous surprendre car, comme tout homme, vous n'avez pas une connaissance parfaite de l'anatomie féminine ; elle vous semble si complexe. Déjà de face vous ne vous y retrouvez pas, alors de dos, vous êtes perdu. Pourtant la géométrie dans l'espace, les hommes y excellent.

J'appelle trésor ce lieu car à son contact la femme a montré de vives réactions ; et « astre anal » l'orifice de l'anus car il présente des plis radiaires qui partent dans les sens. Voilà que vous vous ressaisissez et faites à l'anneau des petits signes d'un doigt, qui déclenchent aussitôt dans la gorge de votre amoureuse un regain de protestations que vous traduisez grâce à votre instinct et ici encore à votre science approfondie de la femme : « Quand elle dit non, elle dit oui, et *vice versa* », si j'ose dire.

Poursuivant votre audace des grands jours et sûr de votre amour réciproque, vous commencez à introduire avec une douceur infinie le bout de votre majeur ou de votre index, que vous avez eu la bonne idée d'enduire de salive. L'aimée proteste mais sans trop de conviction, ses sensations sont bizarrement agréables – encore du sucré-salé – et sa curiosité bien grande. « Après tout, on n'a que les plaisirs qu'on vous donne et cet homme je l'aime vraiment », voilà ce qu'elle se dit dans sa tête et que vous entendez parfaitement. Elle s'apaise. Vous restez ainsi tous les deux immobiles et silencieux. Vos respirations sont synchrones. Vous êtes au plus près.

Bientôt vous retirez votre main, avec encore beaucoup de douceur. Et vous vous allongez sur elle, sur son dos, vous vous placez de telle façon que votre bouche se trouve près de son oreille. « Je t'aime », dîtes-vous, « je t'aime », dit-elle.

Car ce n'est pas uniquement le plaisir – à donner, à prendre – que vous recherchiez. Ce que vous voulez c'est ne faire qu'un avec elle et, pour cela, il fallait aller plus loin que les mots d'amour, il fallait franchir physiquement son enveloppe, sa peau, mais sans effraction, et pour cela passer par une déhiscence de cette peau. Et il fallait qu'elle l'accepte.

C'était un autre jour. Il neigeait. Les flocons tourbillonnaient derrière vos vitres, mais le feu qui dansait dans le cantou éclairait et réchauffait votre aimante, allongée sur le ventre, nue sur une peau de loup. Vous aviez longuement honoré ses fesses et vos pas, si je puis dire, vous conduisaient maintenant vers le sillon interfessier, pour le plus grand bonheur de la femme aimée. Cette fois vous vous dirigez vers le bas du sillon, au point déclive. C'est alors que vos doigts, soudain, chutent dans une faille aux parois glissantes et aux eaux tropicales. Surprenante, impressionnante cette découverte d'un milieu humide au cœur de la femme.

Ce que votre main a atteint, c'est la partie postérieure de la fente vulvaire, à l'endroit où les grandes lèvres aménagent un vestibule pour l'orifice vaginal. Vos doigts baignent carrément dans l'eau du bonheur, dont les sources sont multiples : d'une part, le ruissellement qui déborde du vagin et qui est l'eau du désir et, d'autre part, les sécrétions des glandes de Bartholin – nichées dans les grandes nymphes, là contre vos doigts, et qui est l'expression du plaisir.

Vous pouvez, de vos doigts insinués, faire quelques signes de connivence aux muqueuses qui tapissent la faille. Plus audacieux, vous pouvez recourber un doigt et l'insinuer jusqu'à l'orifice vaginal, mais juste pour le saluer au passage. Je vous laisse à penser que le sexe en fête de votre aimante lui donne du bonheur. Du reste, vous entendez bien les approbations et les félicitations que vous adresse celle-ci sur tous les tons.

C'est alors qu'un choix s'impose : ou bien vous réjouissez plus amplement le sexe de votre aimée, ou bien vous reprenez le chemin de son corps. Vous avez choisi cette dernière option, alors n'oubliez pas de dire merci et à très bientôt au sexe de votre amoureuse.

FESSES D'HOMME, MAIN DE FEMME

Chez l'homme, la fesse est étroite, plate et dure de consistance, constituée juste de muscles nullement entrelardés et d'une peau aucunement capitonnée, elle est faite pour marcher et n'a pas de rôle de garde-manger pour une future progéniture, comme c'est le cas pour la femme.

Elle n'est donc pas, au sens habituel, un signal sexuel. Mais aux dernières nouvelles elle l'est devenue pour les femmes libérées. Des hommes qu'elles croisent dans les rues ou qu'elles observent depuis les terrasses, elles regardent les fesses et les évaluent ; une nouvelle attitude qui marque de façon éclatante l'égalité des sexes. L'aimante commence par promener sa main sur les fesses « nerveuses » de son aimé et voit bien son excitation. L'homme nouveau admet sans honte ni aucun complexe d'avoir des fesses comme tout le monde et que les femmes s'y intéressent. Mais ses fesses sont-elles pour autant sensibles ? Aussi sensibles que celles de la femme ? Que nenni : ou bien il se retient de jouir pour ne pas passer pour un homo, ou bien ses fesses, n'ayant jamais été vraiment un signal sexuel et encore moins une cible, n'ont pas développé de sensibilité.

En revanche, le pli interfessier, lui, se révèle éminemment sensible quand l'amoureuse y aventure de douces caresses. Mais comment faire quand c'est si bon et qu'on ne veut pas passer pour un « pédé ». Si on est sûr de sa virilité et des sentiments de son amoureuse, on laisse faire. Si, en ressentant de telles voluptés, on redoute d'être pris pour un homo, on se croit obliger de préciser à son aimée : « Tu sais, je ne suis pas gay… », ou pis, on lui demande d'arrêter.

Voici que l'aimante, en approfondissant ses caresses, arrive à tangenter de ses doigts l'anneau anal ; les sensations sont si agréables que l'amoureux se trémousse. Plus audacieuse encore l'aimante, du bout d'un doigt, chatouille l'anneau puis lentement le pénètre. Avec plus d'expérience, elle aurait su qu'une petite léchette préalable, outre la volupté provoquée, aurait facilité l'intromission de son doigt.

À cette nouvelle étape, l'homme, *a fortiori*, s'interroge : « C'est vraiment bon, mais si je me laisse faire que va-t-elle penser ? » ou, plus gravement, « c'est tellement bon que je me demande si je ne suis pas un homo qui s'ignore ». Les femmes devinent tout : « T'es un vrai mec, c'est parce que tu es super viril que je te caresse comme ça. Et que tu acceptes et que tu jouis. » « Pas de problème, répondez-vous. Du reste il n'y a pas de mal à être homo, simplement, la réalité, c'est que je ne le suis pas. »

CHAPITRE 5

Les cuisses

CUISSE DE FEMME, CARESSE D'HOMME

Ayant remis à demain ou à après-demain ce que vous pouviez faire aujourd'hui, c'est-à-dire une visite plus approfondie – c'est le mot – des trésors découverts, notre homme reprend son bâton de pèlerin. Il se dirige vers la face postérieure des cuisses. C'est alors qu'il tombe – la vie est vraiment bien faite – sur un site délicieux et qu'un gourmet de caresses ne peut négliger : les plis sous fessiers. Comme tous les plis, ils recèlent des bonheurs insoupçonnés.

Alors vous, l'aimant, offrez à celle que vous aimez un bouquet de ces bonheurs. D'une pulpe légère, suivez les fines lignes de crête de ces plis, dans un sens puis dans l'autre. Faites de même dans les sillons. Si l'on en croit les mouvements de votre adorée et les sons enchantés qu'émet sa gorge, votre aimée apprécie tout particulièrement. Il vous semble même, à vous qui « sentez » si bien la femme, que ça lui donnerait des « envies »… Mais votre carnet de route vous indique de gagner la face postérieure des cuisses.

C'est large, plat, long, c'est une voie romaine. De quoi cheminer paisiblement pour vous remettre des fortes émotions que vous venez de vivre, tous les deux, à l'étape précédente. Mais aucune partie du corps féminin ne peut laisser un esthète indifférent ; ici encore vous ne pouvez qu'admirer la colonne parfaite qui s'arrondit sur les côtés. Et aucune partie de l'anatomie féminine n'est neutre. Vous vous en apercevrez bientôt. Car la peau à peine touchée, votre belle s'emballe. Ce qui vous incite à faire mieux encore, d'autant que cette peau, en plus d'être très réceptive, est très douce. De vos plus beaux doigts, faites sur la délicieuse surface des allers et des retours, des lacis, des zigzags. Mais toujours soft, lents. Passez vos doigts en peigne, en traçant de leurs ongles quelques raiements charmants. Votre aimée s'agite un peu plus et se met à chanter, *mezza voce*, une « action de grâce » à vous et à la vie destinée. Portez donc vos lèvres sur la douce colonne, faites-les glisser, déposez de-ci de-là un poutou bien appuyé. Et même, osez retrousser vos babines et mordiller, discrètement toutefois. Elle est à la fête, vous aussi.

Tout naturellement vous arrivez au « creux poplité », l'arrière du genou. Ici tout n'est que luxe, plis et volupté. Maintenant, vous savez jouer sur ces cordes sensibles : effleurements pulpaires, taquineries de l'ongle, baisers somptueux et, *nec plus ultra*, léchettes extraordinaires. La femme qui n'aura pas connu de léchettes en son creux poplité sera passée en vain sur cette planète.

Votre amoureuse ne sait plus si elle doit rire ou pleurer sous les grisantes taquineries de votre langue. Au fond d'elle-même, je suis sûr qu'elle remercie Dieu, ou le Diable, de vous avoir rencontré. Mais vous-même, vous êtes interpellé par les possibilités illimitées de jouissance de la femme. Un peu jaloux ?

Vous vous apprêtez, vous l'amoureux, à passer à l'étape suivante, les adorables jambes de votre aimée. N'avez-vous rien oublié ? « Vous voulez parler de la face interne des cuisses de l'énamourée ? Mais ce n'est pas un oubli, c'est un évitement. J'y pressens trop de risques d'être détourné du chemin buissonnier que je veux explorer ! » Un remord vous saisit et un sursaut d'audace vous pousse vers l'objet du délire.

Dès le premier contact de la peau, votre religion est faite : sa finesse est extrême. Sa sensibilité extraordinaire : ce n'est que du plaisir et du bonheur pour vous comme pour elle. Ici, on est dans l'aristocratie de la peau, chapeau bas et caresses haut de gamme : rien que des effleurements raffinés comme vous le feriez à une duchesse, encore qu'une duchesse entre vos draps (ou dans les siens) est une femme comme les autres : ni plus, ni moins divine.

On raconte qu'un galant, soit un peu plus désirant, soit un peu moins policé, a saisi la cuisse de sa divine à pleine main et l'a pressée doucement, voire palpée, massée comme glaise ou pâte à pain. Et que la dame en a été ébahie et son servant ébaudi. Soyez prudent quand même et allez-y doucement car beaucoup de femmes ont la mauvaise idée d'y développer une cellulite douloureuse.

Le danger de cette face interne n'est pas tant son hypersensibilité que son somptueux voisinage : le saint des saints, je veux dire la vulve. Même à distance, votre main en perçoit la chaleur et la moiteur.

Ne pas lui rendre visite, c'est passer devant une merveille sans s'y arrêter. C'est plus qu'un affront, c'est une erreur.

Après avoir demandé à l'aimée d'écarter un tantinet les cuisses, remontez doucement la main jusqu'à toucher le bord externe de la vulve, faites de la coalescence des grandes lèvres. C'est tendre et ferme à la fois, c'est charnu, c'est charnel, et ça paraît clos. Désignez alors le doigt qui va avoir la fabuleuse mission de s'introduire ; le majeur, comme souvent, semble le plus apte. Qu'il procède avec la douceur et l'habileté d'un doigt qui voudrait ouvrir un bouton de fleur. Qu'il effectue de petits mouvements de flexion-extension tout en appuyant sur la fente encore virtuelle. Bientôt il franchit le détroit et, étonné, ébloui, il se trouve au griffon d'une source. En termes d'anatomie, il est dans le vestibule vaginal. Car son abord était postérieur, comme c'était le cas lorsque sa caresse était partie du sillon interfessier.

Ce qui vous impressionne le plus, c'est de découvrir au centre de la femme un milieu marin tropical où votre doigt se sent comme un poisson dans l'eau, avec des envies de nager et de frétiller. Quant à votre aimante, elle apprécie tellement votre caresse qu'elle fond un peu plus de désir et de plaisir. Et sa voix se fait celle d'une sirène. Peut-être va-t-elle entonner l'*Hymne à la joie* à cet instant où jouissance est joie.

Vous êtes très tenté de rendre visite au diamant clitoridien. Mais vous résistez et reprenez la route des crêtes.

CUISSE D'HOMME

Avant d'aborder la cuisse, l'amoureuse doit franchir les plis sous les fesses. Elle en honorera l'extrême sensibilité.

Ferme, noueuse, sèche, ainsi se présente la cuisse masculine. Par contre, sa peau se révèle sensible dès les premières caresses de l'aimante. Voilà donc une belle surface où celle-ci pourra faire du bon travail, à savoir : effleurements de la pulpe des doigts, raiements d'ongles, palpations entre pouce et index, baisers en pointillés, gros poutous, léchettes subreptices, etc. Qu'importe les poils quand on désire autant.

Le plus terrible reste à faire : passer sur la face interne de la cuisse. Terrain miné de plaisirs explosifs. L'amoureuse est étonnée et troublée de trouver sur la peau d'un mâle un tégument aussi doux et aussi sensible. Les vives réactions de son aimé l'excitent plus encore. Aussi monte-t-elle ses caresses vers le haut de l'entrecuisse, à la naissance des bourses. Dans cette position, l'accès à ces dernières n'est pas commode et, à part un petit coucou du bout des doigts, vous n'avez pas grand-chose à leur offrir, sauf à faire l'un et l'autre des acrobaties. Mais pourquoi faire compliqué quand, par le devant, tout vous est offert à l'évidence, comme vous avez pu faire ou le ferez.

Il en est de même du fameux point H (H comme homme) ; c'est par l'avant que l'amoureuse y accède aisément.

L'amoureuse opère un repli stratégique et s'apprête à se vouer aux jambes de l'homme mais une surprise l'attend : la traversée des plis du creux poplité. Heureuse aventure pour lui comme pour elle.

CHAPITRE 6

La jambe

JAMBE DE FEMME

La jambe féminine dans son ensemble, comme nous l'avons déjà dit, est un sacré symbole de féminité ; le mollet que l'amoureux aborde maintenant en est la partie la plus exquise.

Fuseau parfait, c'est sa beauté que louent indirectement les publicités pour les bas et autres collants ; c'est sur son galbe que la couture doit être « bien tirée » quand elle existe.

C'est dire que, devant un mollet, l'homme est d'emblée en situation d'adorateur. Que l'amoureuse soit allongée sur un lit, une prairie, une plage, un sousbois, qu'elle soit nue ou en robe ou en deux pièces, ses jambes sont des cadeaux du ciel. Vous ne pouvez que les contempler et complimenter la femme. Ce n'est qu'après un long temps que votre main se tendra. Vos effleurements sont si légers qu'on les dirait timides, comme si la beauté était intouchable et le symbole inviolable. Mais vous finissez par poser une pleine main, qui s'arrondit pour épouser le galbe ; vous faites même des petites pressions. Comme pour vous assurer que cette beauté existe bien et que, faveur suprême, vous y avez accès. Puis une envie vous prend, vous vous penchez, ou plutôt vous vous prosternez vers le mollet sublime pour lui donner des baisers d'adoration, qui bientôt, au contact de la chair, se feront plus appuyés, le désir croissant. Toutefois, quel que soit votre appétit, ne faites pas de mordillements ; ils peuvent être douloureux.

Votre aimée plane, mais ce n'est pas tant par vos caresses que par votre adoration qui exalte sa féminité. D'être si femme l'a rend encore plus heureuse et plus amoureuse.

MOLLET D'HOMME

Rien à voir avec le mollet féminin, mais c'est justement ce qu'il exprime de virilité qui émeut l'aimante : la pilosité, la nouure des muscles. Elle dira son admiration, promènera sur la peau même ses doigts et ses ongles, massera l'épaisseur de la chair. Elle, elle en sera très troublée et l'aimé en ressentira de l'agrément. Pas plus ? On ne peut toujours et partout trouver l'ivresse.

PARTIE IX
LE SEXE DE LA FEMME

CHAPITRE 1

La vulve

Quand une femme est nue, elle n'est pas aussi nue que l'homme : son sexe est inapparent : sa partie externe – la vulve – est cachée entre les cuisses, l'autre partie – le vagin – est à l'intérieur du bassin. De face et à cuisse fermée, c'est à peine si l'on aperçoit une portion de la chair vulvaire et un soupçon d'incisure ; de dos : rien.

Une femme nue ne montre pas son sexe ; elle en montre la promesse au travers de son pubis. Même nue, une femme n'est pas donnée. Laisser ouvrir son sexe, laisser aborder et voir l'intérieur cela se mérite, cela réclame beaucoup d'attention et de tendresse.

Vulve, rien qu'à le prononcer le mot remplit la bouche. Il est de chair, il est abondant, il est délectable. En un mot : gastronomique. Il agace la langue, il provoque les dents. Il convoque les « v » comme voluptueux, savoureux, volute, se lover, envelopper (vulve vient du latin *vulva* : enveloppe). Il évoque un monde clos, mystérieux.

Pour l'explorer, ce monde, il faut être galant ou guerrier, car si pour certains c'est un puits d'amour, pour d'autres c'est une dangereuse caverne où se tapissent des monstres, la preuve, c'est qu'on y voit du sang. De tout temps la vulve a été l'objet de fantasmes terrifiants ; on y a supposé des dents (le *vagina dentata*) ou des serpents tapis, menaçant la verge qui s'y aventurerait. Fantasmes qui ont contribué à la mâle peur.

ABORD PAR L'AVANT

Votre aimée est couchée sur le dos. Ayant rendu hommage à l'ensemble de son corps adoré, avant d'aborder le sanctuaire de son sexe, allez en honorer les marches : rendez vous sur le pubis, décoré du blason pileux, déposez-y des baisers et des mots doux, puis redescendez jusqu'à la pointe extrême, là s'y trouve l'amorce de la vulve et de sa bissectrice ; faites-y une petite surprise : souffler de l'air chaud dans l'interstice des cuisses, comme un message à la profondeur, tel un zéphyr brûlant avant l'orage. Alors vous pouvez écarter doucement les vantaux du paradis, je veux dire les cuisses. Ce geste d'ouverture la femme pourrait le faire spontanément, mue par un grand désir ou décidée à se montrer une amante libérée. Pourtant je conseille aux amoureuses de laisser à leur homme encore quelques initiatives, quelques conquêtes à faire. L'amour est un jeu : un jour comme cela, un jour autrement. Et demain, Madame, vous pourriez ouvrir ostensiblement les cuisses et le prier, voire le supplier de vous manger.

Les moissons sont faites, le coucou est reparti, laissant l'écho bien vide. Une langueur s'est emparée de la vallée. Pourquoi se précipiter ? Et puis, vous l'ai-je assez dit, le plaisir est autant dans la préparation du mets que dans sa dégustation. Restez donc, Monsieur, dans les marches, et gagnez un lieu que vous connaissez bien, la face interne des cuisses, et de là vous découvrirez une zone aussi exquise : le profond pli entre cette face interne des cuisses et la face externe de la vulve. D'un doigt léger, faites-y des taquineries remarquables et remarquées, voire quelques gratouillis. La bonne surprise – encore une – serait que, ayant écarté un peu plus la cuisse, vous alliez déposer un baiser et quelques léchettes de la pointe linguale sur le fond du pli.

Bien entendu, dans les jeux ci-dessus décrits, vous avez forcément tangenté sans le vouloir la face interne de la vulve, que voulez-vous précision ne va pas avec effusion. Mais trêves de taquineries, maintenant l'avenir est entre vos mains et plus précisément la vulve. Sur son flanc externe, vous pouvez faire quelques tours de passe-passe digitaux, mais il y a plus délicieux pour elle et pour vous : prendre entre le pouce et l'index la totalité de la vulve et la tâter, la palper, la pincer – j'allais dire lui « serrer la pince ». Vous avez là, entre les doigts, la plus belle chair de femme qui soit : ses deux grandes lèvres doublées des petites et contenants nombre de corps érectiles gorgés à souhait de beau sang palpitant. Pincez au milieu, pincez devant – émotion du clitoris –, pincez derrière – interrogation du vestibule vaginal. Inutile de vous dire l'enthousiasme de votre aimée.

Il y en a qui prétendent que la marge de l'anus fait partie des « marches » du sexe de la femme et s'en vont faire un tour de ce côté pour quelques gaudrioles

– taquineries digitales, voire linguales. N'est-ce pas trop faire attendre la dame ?

Quoi qu'il en soit, vous avez maintenant « gagné » le droit d'entrer dans le palais des dames.

LE PALAIS DES DAMES, ALIAS L'INTÉRIEUR DE LA VULVE

C'est à vous, à vos doigts, de procéder, religieusement mais non sans gourmandise, à l'ouverture des grandes lèvres. Mais déjà, spontanément, elles s'étaient légèrement entrouvertes. En effet, lorsque leurs corps érectiles (les bulbes vestibulaires) ont fait leur plein de tumescence, ils les ont fait s'éverser vers l'extérieur. Il vous reste à insinuer un doigt dans la fente vulvaire.

Pour cela, suivez du doigt – le majeur c'est mieux – l'interstice que forment les grandes lèvres par leur éversion, faites-le dans un sens puis dans l'autre, et cela plusieurs fois, en appuyant légèrement. Comme c'est troublant et ravissant de glisser sur des muqueuses tellement lisses, tellement mouillées. Maintenant vous pouvez introduire franchement votre doigt.

L'impression est fabuleuse : ça baigne dans l'eau et c'est brûlant. Vous avez l'impression de mettre le doigt au griffon d'une source chaude. Alors de ce doigt vous visitez l'intérieur. Vous glissez sur la paroi interne des grandes lèvres, la muqueuse est lisse, onctueuse, bouillante. Doucement vous allez à l'avant, puis à l'arrière, plusieurs fois. Devant, vous percevez la petite baie toute ronde du clitoris dont le contact fait frissonner votre aimée ; en arrière, vous sentez que la fente s'agrandit vers le haut, c'est le vestibule vaginal, l'espace qui précède l'orifice vaginal. Vous faites un petit signe du bout de vos phalanges, en murmurant quelques mots fervents. Nouveaux frissons de votre aimée.

Maintenant vos doigts écartent subtilement les grandes lèvres, ce que découvrent vos yeux est tout à fait bouleversant. Si je devais le résumer en deux mots, je dirais : feu et eau, ce qui est une association impossible, le feu détruisant l'eau et réciproquement. Et pourtant, ici, le feu coexiste avec l'eau. Les grandes lèvres rougeoyantes de désir-plaisir forment comme le cratère d'un volcan qui déverserait sa lave ; mais de leurs pentes de l'eau sourde, jaillit, coule, cascade… C'est pourquoi vous, l'amoureux, vous ne craignez pas de mettre la main au feu et de la promener, étonné de tant de chaleur et d'humidité. Cette coexistence vous évoque d'autres images : celle d'un lagon tropical tapissé de coraux. Ou, plus grandiose, le grand canyon qu'un fleuve amoureux aurait creusé dans un socle de porphyre.

Atavisme de votre immémoriale vie thalassale, voilà que vous plongez le visage dans la mer féminine : « Tu es fou », dit votre aimée. « Tu es si belle », est votre réponse.

La parole revient à nouveau au doigt, si je puis dire : vous ne vous lassez pas de passer le doigt sur les joues des grandes lèvres, de les lisser, les flatter, les complimenter. Leur contact rappelle celui de la chair d'un fruit tropical, la mangue, en particulier. Comme vous êtes un être raffiné, vous remarquez que la chair est plus « pleine » et les réactions de votre aimée plus vives dans la partie postérieure : c'est là que se trouvent les bulbes vestibulaires, une bonne pelote de tissus érectiles postés de chaque côté du vestibule. La nature a vraiment bien fait les choses !

Vous n'oubliez pas les petites lèvres, vous prenez plaisir à jouer avec leurs fines lamelles, leurs belles dentelles, vous les suivez du doigt dessus, dessous, vous les lissez, les déplissez, et même vous les prenez entre vos doigts. Elles reposent sur les grandes nymphes, tel le goémon sur les rochers, comme si elles attendaient la marée du désir pour flotter.

À nouveau, vous ne pouvez résister à l'appel du creux insondable, vous vous inclinez, vous y humez des senteurs marines, vous y goûtez des larmes de sel ; sur les joues vulvaires, vous déposez des baisers puis passez le plat de la langue. De la pointe de celle-ci vous jouez avec les franges, les lissez, les soulevez, les aspirez comme vous le feriez d'une huître.

Alors, affolé par les fragrances, vous replongez le visage au fond de la vulve, flaque de mer au milieu de la femme.

« Impossible nudité de la femme : on ôte de son corps tous les linges et voici que son corps est encore voiles et linges qu'on ne finit pas d'écarter. »
Jacqueline Kelen,
Un amour infini, Éditions Albin Michel

Revenu de votre apnée, vous décidez de découvrir plus précisément chaque trésor de ces fonds sublimes, chaque corail, chaque perle, et de le faire tour à tour des yeux, de la main et de la bouche, à savoir le clitoris devant, le méat urétral au milieu, le vestibule vaginal derrière.

CHAPITRE 2

Le clitoris, caresses digitales

Clitoris vient d'un mot grec qui signifie clef. Et nous verrons qu'il est bien la clef du plaisir de la femme, voire même le sésame du corps féminin.

Tout homme sait que la femme possède un bouton devant et que celui-ci est très sensible. Mais si l'on en croit les confidences des femmes et les enquêtes (95 % des femmes jouissent quand elles se caressent elles-mêmes ou quand c'est une autre femme qui le fait, 45 % quand c'est un homme.), peu d'hommes savent stimuler ce bouton comme elles en rêvent. Eux qui, pourtant, sont experts en matière de boutons, sont désappointés. C'est que, à la différence de leurs appareils techniques, le clitoris est vivant, subtil, affectif et pensant.

Vivant, le bouton l'est, en ce sens qu'il est fait non point de matière mais de tissus de chair, habillés d'une peau fine et pourvus de vaisseaux et de nerfs. C'est dire qu'il est relativement fragile, qu'il peut s'enflammer, se blesser, devenir douloureux.

Subtil, le clitoris l'est parfaitement jusqu'à sa structure miniaturisée. Il se situe dans la finesse, le raffinement, l'intuition, c'est à l'opposé de grossier et automatique.

Affectif : il faut lui plaire, savoir le prendre, en tout cas pas le prendre pour un bouton, le considérer, le prier, le flatter. Et lui dire, si la conversation s'y prêtait, tout le mal qu'on pense de Sigmund (Freud), qui l'avait traité de « vestige », de « pénis raté » ne procurant qu'amusement juste bon aux femmes immatures. Heureusement, honnête, il avait reconnu au soir de sa vie que la femme était pour lui un « continent noir » et que, si on voulait la comprendre, il fallait « s'adresser aux poètes ».

Pensant : le clitoris sait tout de suite ce que vous avez dans le cœur et dans la tête : si vous aimez la femme qui le porte, si vous aimez la femme en général, si vous êtes généreux ou égoïste, malin ou bête, habile ou maladroit, si vous avez faim ou envie de dormir, si votre patron vous a attrapé, si votre secrétaire portait un string, si votre belle-mère est passée ce soir.

BUTS DES CARESSES CLITORIDIENNES

Que vise-t-on quand on entreprend des caresses clitoridiennes ? L'orgasme, sûrement : c'est le seul organe qui en procure quasi automatiquement. C'est du reste son unique fonction : le clitoris est en effet le seul organe de la Création qui ne sert qu'à donner du plaisir.

À partir du moment où on l'excite, on engendre un besoin d'orgasme, et il faut poursuivre son excitation jusqu'à son obtention. à la tension accumulée, il faut l'issue d'une décharge. Le but est donc nettement le plaisir mais, au-delà, on peut rechercher d'autres fins : réaliser entre les aimants une plus grande proximité, ou bien procurer à son aimée certains des bienfaits inhérents au plaisir : apaiser sa tension ou son anxiété.

STRUCTURE DU CLITORIS

Pour réjouir le clitoris, il est préférable de savoir où il se trouve. Non, je plaisante, ce temps est passé où les hommes cherchaient en vain où pouvait bien se trouver ce sacré bouton. Par contre, je pense qu'il est toujours bon de décrire comment il est fait.

Il se présente comme une petite sphère de la taille d'une groseille (plus ou moins), c'est-à-dire qu'il a entre 3 et 6 millimètres. Il est à demi recouvert d'un capuchon, comme la tête de la Vénus de Brassempouy (Landes) de sa capuche. Il contient du tissu érectile, c'est-à-dire un tissu fait de vaisseaux sanguins et de vacuoles qui se remplissent de sang en cas d'excitation, ce qui accroît sa taille jusqu'à 6 à 10 millimètres, c'est une véritable érection. Il contient aussi et surtout des terminaisons nerveuses sensibles très particulières, les corpuscules de volupté de Krause, qui ont deux caractéristiques : être sensibles aux sensations voluptueuses, comme leur nom l'indique, et être exquisément sensibles. Ce sont les seuls dont la stimulation provoque à coup sûr un plaisir orgasmique et une grande euphorie. Le gland de l'homme en est également pourvu mais en moins grande quantité et concentration : la femme en possède six mille pour quelques millimètres carrés, l'homme quatre mille pour quelques centimètres carrés. C'est dire que la sensibilité du clitoris est de l'ordre du détonateur.

En réalité, ce que vous voyez et percevez n'est qu'une partie du clitoris : la partie émergée de l'iceberg, le gland ; le reste est caché, à savoir sa tige et ses deux racines. La tige prolonge le gland vers l'avant (de 25 à 35 mm) en direction du pubis, où elle se divise en une racine droite et une racine gauche (de 3 à 5 mm). Ces différentes parties sont également faites de tissus érectiles.

L'EAU, C'EST LA VIE

La première condition de l'agréabilité d'une caresse clitoridienne, c'est que le doigt et le bouton soient suffisamment humides pour que le premier puisse glisser sur le second. Le frottement à sec est pénible et même douloureux. Naturellement, la lubrification a deux sources : d'une part, le vagin, d'où provient l'eau du désir – un transudat depuis les vaisseaux de la muqueuse vaginale –, d'autre part, les glandes de Bartholin, d'où vient une sécrétion provoquée par le plaisir.

Le manque de lubrification a deux causes principales :

Un manque de désir, qui est souvent d'origine psychique (conflits et ressentiment dans le couple, état dépressif, entre autres).

236

Un trouble hormonal, le plus souvent un déficit en œstrogènes (pilule mal adaptée, ménopause, etc.).

Le traitement de fond du manque de lubrification consiste à soigner la cause profonde. Sur le moment de la rencontre, on fera appel, en dépannage, à des lubrifiants :

- Soit la salive, celle de l'aimée ou de l'aimant.
- Soit la sécrétion vaginale de l'aimée que l'aimant va « puiser » dans l'orifice vaginal, il y trempe son doigt comme on trempe sa plume dans l'encrier.
- Soit une pommade à l'eau, en vente dans toutes les bonnes pharmacies.

C'EST UN ART

La première question qui se pose à l'homme : quel doigt ? Dans les figures basiques, le majeur se révèle le plus apte, sa pulpe est large, puissante, habile. L'index est bien aussi, quoique plus pointu et impératif. Souvent les deux sont joints et apparemment le duo convient au clito. En ce qui concerne l'annulaire, il se révèle ici incapable, il est juste bon à porter les bagues ou à gratter le conduit de l'oreille. La bande des Trois, alias la « Troïka », fait un excellent travail d'équipe : l'index dans le sillon entre clitoris et grandes lèvres d'un côté, l'annulaire (à la limite de ses compétences) dans le sillon de l'autre côté, et le majeur sur le clito dans une partition éblouissante.

Le pouce ? Il est opérationnel, dans certaines figures ; par exemple : le majeur et l'index sont en mission dans la cavité vaginale, alors le pouce, au prix d'un grand écart, assume le travail sur le bouton. Enfin, dans certaines figures, peuvent encore jouer tous les doigts réunis ensemble, ou la tranche de la main et son talon.

Ce que je pense des objets ? Comme nous étions convenus de nous situer dans le « cousu main », je n'en parlerai pas, même de ceux qui sont issus de l'agriculture biologique, comme le concombre, et encore moins des appareils – dits sex-toys. Toutefois, je fermerai les yeux sur le cas des femmes au clitoris récalcitrant qui ont besoin d'un apprentissage mécanique pour le décoincer. Le danger étant, je le répète, que les femmes habituées au contact dur et aux vibrations rapides du « jouet » prenne le doigt de l'homme pour le dernier des benêts.

Le contact, au début, ne se fera pas sur le clitoris à nu – c'est trop fort –, mais à travers sa capuche ; c'est pourquoi les doigts se placeront sur le côté, dans le sillon entre le bouton et les grandes nymphes. Mais lorsque les partenaires se seront bien trouvés et bien ajustés, le doigt masculin pourra tenter d'aller au milieu sur le gland démasqué.

Trouver le bon point, le bon coin qui va faire jouir l'amoureuse et « l'envoyer en l'air » est affaire d'intuition. Ça se joue au millimètre près ; il faut tâtonner subtilement, en se fiant à ce que sent la pulpe des doigts et qui est indicible (une vibration ? un courant ? un « tilt » ?), et aux réactions de la femme ; mais il peut arriver que des réactions de plaisir ou de désagrément se ressemblent : se tendre, bouger ou geindre. La respiration peut être un bon repère : elle s'accélère et s'approfondit quand c'est bon. On peut aussi convenir d'un signe d'encouragement, presser quelque endroit du corps, souffler des « oui ». On peut aussi demander à l'amoureuse de nous guider ; bien que les femmes préfèrent les prestidigitateurs spontanés.

Comme dans tout art, les détails comptent. Voici donc des précisions que sûrement vous souhaitez connaître. Le sens des mouvements ? Soit des va-et-vient dans l'axe de la fente vulvaire, vers le bas puis vers le haut, et ainsi de suite, soit des rotations, des successions de petits cercles. Tous mouvements de l'ordre de quelques millimètres (4 ou 5 mm).

La pression ? Ni trop forte, ni trop faible. Qu'est-ce à dire ? Pas écraser, pas frôler mollement, l'homme spontanément a tendance à appuyer fortement. En plus, chaque femme a sa pression préférée. Aussi, si vous êtes amené à changer de partenaire, oubliez ce que vous avez appris avec la précédente. Le mieux est de commencer doucement et d'intensifier progressivement jusqu'à ce que vous sentiez que c'est bon pour elle.

La vitesse ? Pas trop lente, pas trop rapide : soutenue. Approximativement, deux stimulations pour un battement de cœur. Commencez lentement et accélérez jusqu'à ce que vous sentiez que la fréquence convient à votre amoureuse.

Quel rythme ? Régulier et continu ; pas d'à-coups, de précipitation suivie de ralentissement.

Quelle durée pour obtenir l'orgasme ? De cinq à trente minutes. Cela dépend de la femme : de ses habitudes d'auto-érotisme, de son ancienneté dans la carrière sexuelle, de sa sensualité, de ses sentiments pour l'homme, de son éducation, de ses blocages. Cela dépend aussi de l'homme. Pour être un bon amant, il ne suffit pas d'aimer, mais il faut être sensuel, être habile, et surtout, il faut « sentir » la femme. Il faut aussi une grande persévérance et une grande endurance, car il y a des risques de douleurs – musculaires ou articulaires – ici où là.

Mais ces douleurs s'envolent subitement à l'instant où la femme se met à hurler son plaisir, à tendre son corps, voire à le cambrer comme une arche (opisthotonos, en termes médicaux). Alors l'homme est saisi, il ne sait plus s'il doit se réjouir et admirer ou bien paniquer. Car sa femme est une autre, ou la même mais en partance. Où va-t-elle aller ? Va-t-elle revenir ? Et redevenir « normale » ? Ou rester cette femelle folle et sauvage ? Tiens, il n'a pas pensé « sublime déesse » ! Et il s'inquiète aussi pour les enfants et les voisins : ont-ils entendu ?

Pour parvenir à ce zénith, encore faut-il que l'homme fasse un « sans faute » et ne tombe dans aucun piège. La faute serait, une fois l'amoureuse bien en route, de modifier quoi que ce soit : le sens de la caresse, sa pression, sa vitesse, son rythme, et surtout de la suspendre, ne serait-ce que brièvement, spécialement au moment où l'aimée s'approche de l'orgasme. L'excitation retomberait aussitôt et peut-être faudrait-il repartir de zéro. Parfois même le redémarrage ne se produit pas et la femme peut être à ce point frustrée qu'elle en est furieuse et maudit le maladroit. Elle aurait « envie de le tuer ». Si l'incident se reproduit : danger ! Une fois ça va… Si vous devez changer de doigt, Monsieur, faites-le sans « blanc », tout doit s'enchaîner.

Le piège est le suivant : quand la femme s'approche de l'orgasme, son clitoris se met en érection maximale, donc se redresse, donc disparaît, en partie, sous la capuche. Le doigt masculin perd quelque peu le contact et est désorienté. Alors surtout, pas d'interrogation-interruption, continuez à stimuler pareillement ce qui se trouve sous votre doigt.

STOP OU ENCORE

L'orgasme est passé comme un cyclone. Votre amoureuse repose paisiblement.

Dès que l'orgasme s'achève, l'homme doit arrêter ses stimulations car elles sont maintenant douloureuses, le clitoris étant devenu hypersensible. Mais il gardera un doigt sur le bouton comme une présence. Lui-même sera pleinement présent auprès de cette femme qu'il a conduite si haut et qui maintenant repose entre ses bras. Qu'il la tienne enlacée, la complimente, lui dise son amour, bref, qu'il l'accueille sur terre.

Au bout de quelque temps, l'homme proposera à son amoureuse d'autres caresses clitoridiennes ou, sans rien dire, il avancera la main. Il sait la femme multi-orgasmique et capable de rebondir de façon époustouflante. Il peut lui offrir la même stimulation ou en choisir d'autres.

D'AUTRES ENVOLS

Le « branlage » du clitoris est une caresse d'orfèvre, une nanocaresse qui réclame autant de doigté que de confiance entre les aimants. Il s'agit pour l'amoureux de retrousser la capuche, de prendre le gland entre pouce et index et de le branler d'avant en arrière, et *vice versa*. Sans doute faut-il pour cela des doigts de Merlin l'enchanteur.

Vous pourriez aussi vous intéresser à la tige du clitoris car sensible, vu qu'elle est faite également de tissus érectiles. Trois points sont spécialement réceptifs : les points K comme Kevin, jumeaux, situés à 4 millimètres au-dessus de la capuche, de chaque côté de la tige, le point T comme tige, unique, situé à l'autre bout, près du pubis. La caresse consiste à appuyer sur la tige et à la faire rouler le doigt dessus. La volupté est là, l'orgasme pas toujours.

UNE LEÇON PARTICULIÈRE

En vérité, le meilleur apprentissage pour l'homme serait de voir comment les femmes s'auto-caressent le clitoris. La première solution serait d'observer son amoureuse en pleine action, soit qu'elle vous l'ait proposé, soit que vous lui ayez demandé. En plus, c'est très excitant pour l'homme de voir et pour la femme de montrer. Mais la démonstration peut être irréalisable en raison de la susceptibilité de l'homme qui pense savoir faire, ou de la pudeur de la femme, ou du romantisme des deux.

La seconde solution, c'est de regarder sur un film porno comment se masturbent les femmes. C'est bien la première fois que je conseille ce genre de vidéo.

Remarque : et si, au lieu d'imiter ce que la femme se fait, vous inventiez votre façon à vous, bien sûre dans la subtilité et avec attention ? Peut-être appréciera-t-elle de sortir de ses habitudes.

LES ACCOMPAGNEMENTS

Accompagnements, oh le joli mot. Quand je vous disais que l'érotisme est proche de l'art musical... !

L'homme, en effet, s'il veut donner plus d'ampleur à sa caresse clitoridienne, doit la composer avec une autre caresse ; il choisira une zone particulièrement érogène comme le sein, le vagin, ou l'anus. Le but est d'additionner les plaisirs et d'érotiser un peu plus la zone accompagnatrice.

La caresse du sein comme accompagnement va de soi. On a vu les liens étroits qui existaient entre le sein et, plus spécifiquement, entre le mamelon et le clitoris. Si l'excitation du téton excite le bouton, l'inverse est vrai. Si bien que l'excitation des deux en même temps multiplie les plaisirs au niveau de chaque zone. On remarquera la particularité de l'arithmétique érotique : l'addition engendre une multiplication... Donc, tandis que vous chatouillez brillamment le clitoris de votre adorée, n'hésitez pas à accorder d'autres faveurs à son sein, avec votre main libre : caresse de tout l'hémisphère – prise à pleine main, sous-pesage, pressions – et moult taquineries du mamelon, titillations, pressions, tractions, etc. Puis vous y mettrez la bouche : bécoter, lécher, voire mordiller le globe et le léchoter, sucer, aspirer le téton. Tout cela est jeux d'enfant... Bien entendu, de vouloir gâter deux sites à la fois, ça vous fait prendre des positions que même votre professeur de yoga ne connaît pas ; mais l'amour ne recule devant rien. Le plus difficile, c'est plutôt la gymnastique intellectuelle – si je puis dire : coordonner vos mouvements et sans jamais décrocher du clitoris. Heureusement je vous sais maestro.

La caresse du vagin comme accompagnement revêt une importance toute particulière. Ou bien la muqueuse vaginale de votre aimée est déjà éveillée et connaît le plaisir voire l'orgasme, alors vous obtiendrez la multiplication en miroir des plaisirs, et c'est formidable. Ou bien le vagin de votre dulcinée est encore une « Belle au bois dormant » (Gérard Leleu, *Les Secrets de la jouissance au féminin*, Leduc.s Éditions) et vous allez – et c'est encore formidable – être son Prince charmant, en participant à son éveil grâce aux heureux effets de la stimulation du clitoris sur le vagin.

Le premier de ces effets, c'est d'engendrer une lubrification du vagin et de la vulve – qui se traduit par de merveilleuse « grandes eaux » qui vont jusqu'à déborder du corps généreux de la femme. Cette lubrification prépare le vagin à accueillir le pénis.

Le deuxième effet, c'est de provoquer une intumescence du fourreau érectile qui entoure la cavité vaginale. Cette érection rend le vagin apte à jouir ; d'autant que la muqueuse qui revêt un tissu érectile engorgé devient exquisément sensible.

Le troisième effet, c'est d'entraîner une transformation étonnante de la morphologie de la cavité vaginale, transformation destinée à la rendre prête à accueillir au mieux le pénis : elle se resserre dans son tiers inférieur et se dilate dans ses deux tiers supérieurs, prenant ainsi une forme de montgolfière – ce qui paraît logique pour qui veut s'envoyer en l'air. Le resserrement de l'entrée est dû à l'intumescence du manchon érectile péri-vaginal et à la contraction du muscle pubo-coccygien (ce muscle du bonheur dont nous reparlerons) qui cravate le canal vaginal à ce niveau. C'est une façon pour le vagin de tenir, retenir et enlacer son invité de pénis. La dilatation de la partie supérieure de la cavité a également un but charitable : donner de l'air au gland, lui permettre de se mouvoir aisément. Mais, vous le savez, la vie c'est toujours donnant-donnant : la femme, en se dilatant, espère aussi recevoir sur son col utérin de voluptueux coups de bélier de la part du gland ; quant à la nature, en la dilatant, elle crée une pression négative qui aspirera les spermatozoïdes vers l'orifice du col.

Le doigt de l'aimant qui s'est introduit dans la cavité vaginale dans le dessein de la caresser est tout à fait ébahi d'y constater un tel chambardement. Ce qui ne l'empêche pas de mener à bien sa mission : multiplier les plaisirs en associant la stimulation vaginale à la stimulation clitoridienne.

C'est alors qu'il va remplir aussi une mission plus grandiose encore : en caressant simultanément le clitoris et le vagin, il lie l'intense plaisir clitoridien au contact du doigt avec le vagin, autrement dit, il crée une association entre volupté et présence de « quelque chose » dans la cavité. Conditionné, le vagin pourra penser : « Je sens, donc je jouis. » En renouvelant souvent les joies communes, l'amoureux participe à l'érotisation du vagin.

Par mes livres, j'espère éveiller d'innombrables vocations de vrais « princes charmants » ; de ces hommes qui ont conscience de leur rôle révélateur et le jouent avec conscience et constance, en véritable aimant. Peut-être faudrait-il créer un ordre du mérite érotique ?

Le troisième accompagnement de la caresse clitoridienne est un lieu également érogène : la **zone anale**. La marge de l'anus est chatouilleuse en diable et la conjugaison de ses chatouilles avec celles du clitoris fera faire un sacré bond au plaisir. Un peu plus d'audace et l'homme introduit un doigt ensalivé et infiniment doux dans le canal anal ; le geste est facilité par une sorte d'anesthésie de l'anneau que procure le plaisir clitoridien. Le doigt en place, inutile de le bouger. Les sensations de l'aimée sont particulières : plaisir vif, profond, viscéral, combiné avec les sensations clitoridiennes, il projette l'aimée aux plus hautes cimes de la volupté.

Toujours parce que je veux rester dans une pratique artistique autant qu'artisanale je ne souhaite pas, pour cette dernière tâche, utiliser de légumes, bien que je n'aie rien contre les régimes végétariens, ni non plus user d'appareils électroménagers nommés par les Anglo-Saxons « sex-toys ».

Ce chapitre devrait améliorer le résultat des mâles en matière de caresses clitoridiennes. Les statistiques sont en effet assez désolantes, comme nous l'avons vu.

Le thème de cet ouvrage étant la caresse entre « amoureux », je ne traite pas de « l'auto-érotisme », ou masturbation. Mais parfois l'excitation par la femme elle-même d'une de ses zones érogènes a toute sa place dans une relation à deux, pour le plus grand bonheur des deux partenaires.

L'**auto-caresse** du clitoris est la pratique la plus fréquente. Au cours du coït, la femme y a recours dans deux circonstances :

Pendant la pénétration, soit pour multiplier son plaisir, soit pour contribuer à déclencher son orgasme vaginal.

Après la pénétration, pour compenser le ratage de son orgasme vaginal ; l'homme ne doit pas en prendre ombrage, c'est un juste rattrapage, indispensable à l'équilibre psychique et physique de son amoureuse. En dehors du coït, la femme peut se chatouiller le clitoris en même temps que l'homme lui offre la caresse vaginale afin de multiplier sa volupté. Rappelons que l'intérêt d'associer caresse clitoridienne et sollicitation du vagin c'est d'érotiser un peu plus ce dernier.

L'auto-caresse des seins est une autre pratique dont la femme raffole et qui peut accompagner toutes les caresses de l'homme : celles du clitoris, du vagin, de l'anus.

Dans tous les cas, l'auto-érotisation de la femme a pour effet d'exciter l'homme ; le spectacle de son amoureuse en train de se caresser enflamme son désir et booste son érection.

CHAPITRE 3

Le clitoris, caresses buccales

CARESSES BUCCALES

Faut pas être professeur agrégé en art érotique pour savoir que la stimulation du clitoris par la bouche et sa « redoutable » langue procure à la femme les plaisirs les plus forts, les plus exquis. De fait, pour la femme, ce que j'appelle le « baiser clitoridien » est la reine des caresses, la plus somptueuse, la plus jouissive, la plus enivrante, celle qui lui procure l'orgasme le plus sûrement, voire infailliblement. Encore faut-il qu'elle soit bien effectuée. Or, dans ce domaine, l'homme a encore beaucoup de progrès à faire : seules 42 % des femmes obtiennent l'orgasme par la grâce de leur bouche contre 98 % par la bouche d'une autre femme. Ici encore, on dira qu'une femme sait mieux ce qui convient à une femme. Mais l'homme peut l'apprendre.

PEUT MIEUX FAIRE

Même si c'est dur à entendre, autant que les hommes sachent ce qui insatisfait les femmes. Voici quelques témoignages représentatifs : « Les hommes sont trop pressés. C'est trop court. C'est frustrant. Qu'ils prennent leur temps. » « Les hommes s'y prennent mal. Ils ne trouvent pas les points intéressants. Ils ne sont pas attentionnés ou attentifs. Qu'ils soient plus à l'écoute. » « Leur langue est trop raide, un peu de douceur, Messieurs, un peu de tendresse. » « Il me fait rater mon orgasme. J'ai envie de le tuer. Si ça continue je lui interdirai de toucher mon clitoris. »

Ce que ne dit pas cette femme, c'est qu'elle va se caresser elle-même. Car le besoin d'orgasme n'est pas seulement un besoin de plaisir, c'est un besoin de détente, d'apaisement.

POURQUOI C'EST BON

La bouche et la vulve sont faites l'une pour l'autre. Il existe entre elles tant de similitudes ; toutes deux sont revêtues d'une muqueuse douce, humide, chaude et hypersensible. Douce voire moelleuse, car le revêtement est lisse et la chair, dessous, tendre. Humide car pourvue de sources, à savoir les glandes salivaires et les glandes de Bartholin. Chaude parce que richement vascularisée : les vaisseaux sont denses et à fleur de peau, le sang coule en surface, donnant cet aspect rouge. Hypersensible parce que abondamment innervée : les capteurs sensitifs sont nombreux et exquis. Certes, le plaisir délivré par l'acte sexuel est plus intense que celui que procure l'acte de manger, mais toutes deux peuvent offrir des formes d'euphorie. Bref, les délices de la bonne chère approchent parfois les délectations de la chair.

De plus, il est évident que les caractéristiques de la bouche, et surtout de la langue, en font les meilleurs agents de la stimulation de la vulve et du clitoris. Leur humidité rendra leurs caresses glissantes à souhait ; leur moelleux les fera accepter par les zones les plus exquises ; leur subtile motilité (due à une dizaine de petits muscles déliés) leur permettra d'agir sur les points les plus petits ou les moins accessibles.

LA FÊTE

Que la fête commence. Que vos lèvres se posent sur le clitoris, lui fassent un bécot puis plusieurs, qu'elles se promènent dessus de droite et de gauche, qu'elles le frôlent, le sucent, l'aspirent, le tètent, oui le tètent, le geste archaïque n'est jamais loin chez l'homme. Le clitoris de votre amoureuse jubile, vos lèvres se régalent : c'est un contact fabuleux, goûteux, juteux, un rien salin. Votre amoureuse est éberluée. Vous, vous n'en revenez pas d'oser cette intimité sans limite. Cependant, le clitoris dans votre bouche, c'est un peu Jonas dans la gueule de la baleine, il y a des disproportions ; aussi vous passez le relai à la langue.

La championne en la matière, celle qui est faite pour le clitoris, c'est la langue. D'abord, de sa pleine largeur, elle va lécher tout l'avant de la vulve comme on lèche une assiette quand on est « mal élevé », passant d'un seul mouvement sur le bouton et la tige. C'est lisse comme une chair d'huître et ça en a le goût. Une brise de mer effleure vos narines. Votre langue exulte, votre amoureuse aussi.

Mais la pointe de votre langue s'impatiente et, comme elle se sait la meilleure, elle prend la place. De fait elle est d'une précision et d'une subtilité qu'on dirait diaboliques si elles n'étaient divines. Alors on est dans la finesse, dans l'exquis, dans la quintessence. Pointes de danseuse en tutu, axel de patineuse sur glace, toutes les figures sont permises à cette extrémité. La voilà qui léchote le clitoris à nu, le titille, s'insinue dessous, se glisse dans le sillon latéral à droite, puis à gauche. Elle peut même soulever la capuche comme on soulève une paupière. Elle peut – le fin du fin – taquiner un point aussi ténu que jouissif : le millimètre où la capuche se fond aux petites lèvres et que j'ai baptisé point F (F comme frein). Cris et vertiges de l'amoureuse.

MÊMES RÈGLES

Si vous voulez conduire votre aimée dans les hautes sphères du plaisir et du bonheur, il vous faut appliquer les mêmes règles que pour les caresses digitales. Une fois le bon endroit, le bon mouvement, la bonne vitesse trouvés, ne modifiez plus rien sous peine de rompre le charme. Surtout pas de suspension. Tant pis si vous avez des douleurs dans le cou ou la langue tétanisée. Fallait bien vous placer.

Trop souvent, on adopte des positions plus ou moins acrobatiques qui ne peuvent être tenues longtemps sans inconfort et même sans douleurs. Or il faut « tenir le coup » assez longtemps, à savoir dix, vingt, trente minutes, voire davantage. Il faut donc adopter une position confortable. Je vais décrire celle, parmi trois ou quatre, qui me paraît la plus agréable pour elle et pour vous.

Elle c'est « Elle », il en est fou. C'est la « FEMME » avec plus de guillemets que d'étoiles dans la Voie lactée.

Il l'a su dès qu'il l'a aperçue. Il en était sûr après avoir dansé avec elle. Bien que piètre danseur, du moins le croyait-il, avec « ELLE » pas un faux pas, pas un contretemps, ça coulait de source. Comme dans un ballet réglé de toute éternité. Son corps était une voile, il était la brise. Instinctive harmonie. Se revoir le lendemain. Se déclarer, s'embrasser, s'embraser. C'était la Saint-Jean.

En ce premier jour d'automne, elle est là, étendue sur le plancher d'un grenier. Elle a voulu lui montrer des souvenirs qu'elle avait rangés dans le grenier de sa maison de campagne. Il a glissé un vieil édredon sous elle. Elle lui parle de la « dame blanche » qui autrefois nichait sur les poutres d'orme. Pourquoi cette envie soudaine d'aller au plus intime d'elle ? Complicité de ce lieu ? Rêve d'unité par la grâce d'une suprême intimité, d'un plaisir fou ? Besoin de rattraper tout ce qu'elle avait pu vivre sans lui en la faisant sienne à l'extrême ? Mais y a-t-il toujours une explication aux envies ?

Après être resté un moment allongé près d'elle à la câliner, voilà qu'il se retourne et se met tête-bêche. Il pose son visage sur le ventre de l'aimée. Il le parsème de bécots puis descend en semer d'autres sur son pubis. Il admire le triangle de soie, blason du corps féminin, le complimente, puis y enfouit ses narines et hume avec délectation. Septembre, on brûle des fanes dans les champs, des nappes de fumée âcre s'étirent dans la campagne. Cette odeur l'enivre et lui donne plus d'audace. De la tête il pousse les cuisses repliées de son aimée afin qu'elle les ouvre. Elle résiste. De sa main il tente de les écarter, chuchotant « s'il te plaît ». Elle cède, il avance le visage entre les cuisses puis l'incline et pose des baisers fervents sur la vulve close.

Son thorax maintenant repose sur le ventre de l'aimée, ses bras entourent le bassin de celle-ci. De ses mains passées sous les cuisses adorées, il ouvre la vulve et la vallée des merveilles, flamboyante de désir, apparaît.

Alors il l'adore de ses mots, de sa bouche, de sa langue. Et la loue. Et la lape, la déguste, la boit. Le divin bouton, il le happe, le suce, le tête. Elle, là-haut, elle le supplie d'arrêter, mais aussitôt l'appelle, le prie, le bénit. Elle se débat contre l'impudeur prodigieuse de la caresse et la fantastique volupté que celle-ci lui procure, avançant et reculant son bassin, le faisant monter et descendre. Elle se déchaîne tellement qu'il doit ceinturer ses hanches de ses deux bras et plaquer son visage sur la vulve, sa bouche collée sur le clitoris. Ainsi, il peut suivre les déplacements du bassin de son adorée et rester solidaire de sa vulve.

Soudain elle se tait, s'immobilise, et suspend sa respiration. Tout son corps se tend en arc de cercle. Et alors de sa bouche jaillit le plus extraordinaire hurlement qui soit, jamais il n'oubliera.

Elle s'effondre. Il relâche sa prise mais reste le visage englouti dans la merveille, toutefois sans plus exciter le clitoris, devenu hypersensible et presque douloureux. « Viens, dit-elle, viens, tu es si loin… » Lui, pourtant, il croyait être si près. Il se retourne et va retrouver la bouche de son aimée. Elle le serre tellement fort dans ses bras, comme si elle le retrouvait. Sa respiration est encore rapide, son cœur palpitant.

Le grenier est sombre, maintenant, teinté d'orange. Par la lucarne s'insinuent les feux du couchant.

ACCOMPAGNEMENTS

Comme pour les caresses digitales, vous pouvez accompagner les baisers clitoridiens de sollicitations manuelles d'autres sites érogènes, et spécialement les plus jouissifs : le sein, le vagin, l'anus. Ici, c'est plus difficile à réaliser, mais à cœur vaillant rien d'impossible ! Les buts sont les mêmes : multiplier les plaisirs en les combinant et érotiser plus encore le second site en y transférant les voluptés fabuleuses du clitoris. En ce qui concerne le vagin, on y trouvera les mêmes modifications : lubrification généreuse, dilatation en montgolfière, etc.

LES PLAISIRS RESSENTIS

La jouissance clitoridienne s'installe aussitôt que l'amoureux a trouvé le bon point et elle va *crescendo*. Le plaisir local est d'une qualité exquise, c'est-à-dire forte et fine, autrement dit « pointue », il est dit aussi « électrique », et alors il peut être agaçant. La volupté générale est une forme d'euphorie, voire d'ivresse, où la femme flotte corps et âme.

La femme quand elle se caresse elle-même peut jouer de sa jouissance pour la prolonger : elle s'arrête quand elle sent l'orgasme proche et, quand elle l'a évité, elle reprend la stimulation de son bouton ; et ainsi de suite, si bien qu'elle peut jouir longtemps, une heure ou deux (ce qui a de quoi rendre l'homme jaloux...). Avec son compagnon « aux commandes », c'est plus délicat mais pas impossible de jouer la même partition. Il faut une belle harmonie et un homme très à l'écoute de ce qui se passe chez son amoureuse ; il suffira à celle-ci de dire, par exemple, « stop » quand elle se sentira proche de l'orgasme ; et quand le risque d'orage est passé, de dire, par exemple, « vas-y ». Peut être faudra-t-il un certain temps d'ajustement mais la vie est longue et on n'a pas bâti Paris en un jour.

Peut-on rester dans la jouissance pure sans passer à l'orgasme ? Pour un site aussi orgasmogène, c'est difficile, c'est à la femme de le décider.

On ne peut décrire l'orgasme clitoridien sans se référer, en partie, à l'orgasme vaginal : le clitoridien est de survenue plus rapide, il est de durée plus courte, il est plus aigu, plus piquant, plus électrique – comme la jouissance qui le précède, il est plus superficiel, courant sur la peau plutôt que ravageant les viscères, il est plus ponctuel, concentré, irradiant juste à proximité : la vulve, le périnée, l'anus. Mais il existe aussi des orgasmes qui se ressentent comme des pulsations ou des distensions ou des chaleurs, et des orgasmes qui irradient plus loin : dans le bassin, l'utérus, le ventre, les cuisses, voire dans le corps. Dans ces cas, ils sont ressentis comme des vagues de pulsations ou de chaleur ou de trémulations ou de spasmes.

À vrai dire, il y a sûrement autant de sortes de plaisirs que de femmes. Et, pour chaque femme, les voluptés varient d'une fois à l'autre.

Une fois passé la jouissance ou l'orgasme, la femme flotte dans un état de paix et d'euphorie. C'est ici, selon moi, que s'applique ce vers de Baudelaire : « Tout n'est que calme, luxe et volupté. »

En dépit du fait que l'orgasme clitoridien soit sensationnel et facile, les femmes lui préfèrent l'orgasme vaginal par coït comme étant le signe d'une relation plus étroite et d'une union corporelle plus complète, extrême.

CHAPITRE 4

L'urètre, le vestibule vaginal et le cunni

Continuons notre visite du « palais des Dames ». Après une visite appuyée, si j'ose dire, au clitoris, nous nous rendons sur deux autres sites de la vulve : le méat urinaire et le vestibule vaginal.

LE MÉAT URÉTRAL

Du latin *meatus*, qui signifie « conduit ». Entre le clitoris et le vestibule vaginal se trouve une petite saillie d'un ou deux millimètres percée d'un orifice. C'est là que débouche l'urètre, le conduit qui mène les urines de la vessie à l'extérieur.

Dire que c'est un point érogène c'est trop dire, mais c'est un point d'une sensibilité intéressante. Deux preuves :

Une léchette donnée fortuitement lors d'une distribution générale de tendresse à la vulve déclenche chez la femme une sensation à la fois bizarre et agréable. Pas au point de crier « venez voir ! », mais quand même.

Les femmes elles-mêmes le taquinent avec des objets fins et même les introduisent dans l'urètre.

Ayant été urgentiste pendant vingt-cinq ans avant de devenir un brillant érotologue, j'ai pu observer aux urgences le nombre étonnant d'objets que les femmes introduisent dans leurs orifices (les hommes aussi mais ils ont moins de trous). La liste pourrait en être une énoncée à la Prévert...

Du reste, un de mes confrères avait écrit un ouvrage dont le sujet était les divers objets retrouvés dans les cavités naturelles de l'être humain. Il y avait de quoi monter un musée aussi extraordinaire que bien pourvu. Personnellement j'ai pu observer dans le méat urinaire une aiguille à chapeau, des tiges de fleurs et des spaghettis en piteux états. Les conséquences sont sérieuses : urétrites, cystite, rétention d'urine.

En matière de science des caresses, il faut se borner – et c'est facultatif – à de petites léchettes en passant.

LE VESTIBULE VAGINAL

Ici on entre, si je puis dire, dans le somptueux. Mais comment peut-on appeler « vestibule » ce qui est accès à un palais. Nos anatomistes de la Renaissance, d'ordinaire si hellénistes, auraient pu dire « propylée », du nom de ce portique à colonnes qui marque l'entrée de l'Acropole. Vous me dites que ce terme ne sied pas à un lieu aussi intime et qu'en matière de merveilles un tel site évoque plutôt la grotte de Lascaux ? Je vous le concède.

Revenons toutefois à l'anatomie basique : le vestibule est constitué de chaque côté par les grandes lèvres dans leur partie postérieure, partie remarquable parce que leur contenu est précieux : d'une part, les glandes de Bartholin, qui dispensent une généreuse sécrétion liée au plaisir ; d'autre part, les bulbes vestibulaires, une pelote de tissu érectile que l'excitation engorge. En arrière, la vulve se ferme par une membrane dénommée la « fourchette », appellation que je déplore également comme particulièrement profane.

Bien entendu le doigt qui s'invite, ou est invité, en ce site est tout de suite euphorique : c'est humide en diable, chaud comme on le rêve, tendre comme on l'espère. Alors le majeur, ou ses semblables, est en verve, glisse et re-glisse d'une pleine pulpe sur les flancs rebondis, et s'en va jouer de la mandoline sur la fourchette en arrière. Inutile de préciser que l'amoureuse est à la fête. Vous n'êtes pas sans ignorer qu'au-dessus du vestibule, à sa voûte, est l'orifice vaginal. Ou bien vous y conduisez votre doigt, le franchissez et pénétrez dans la cavité vaginale, et alors commence une autre et grandiose histoire. Ou bien vous lui dites juste « coucou, je reviendrai » et vous reprenez l'adoration du vestibule.

Justement la bouche s'impatiente. Pour un peu, elle dirait aux doigts « bougez-vous que je m'y mette ». Les lèvres s'emploient à bécoter, voire à sucer les parois, à aspirer, voire à mâchouiller les petites nymphes. La langue prend la relève en léchant et lapant ; de sa pointe elle tire quelques notes cristallines de la fourchette. Mais quand la langue essaie d'aller vers le dôme, elle s'aperçoit qu'elle a les « yeux plus grands que le ventre » ; il lui est impossible d'atteindre l'orifice vaginal, même en se mettant sur la pointe.

L'amoureux peut tirer dessus tant qu'il veut, il sera toujours comme le renard de la fable devant le vase au long col. Qu'importe, toute cette exploration et ces tentatives réjouissent l'amoureuse et la font sourire au fond d'elle, si on peut dire.

Ici se termine le merveilleux voyage site par site, point par point en terre vulvaire.

QU'EST-CE QU'UN « CUNNI » ?

Le « cunni », c'est la caresse de la vulve par la bouche et la langue. C'est ce que je viens de décrire dans les chapitres précédents dans les passages où c'était au tour de la bouche de jouer. Cunnilingus ou cunnilinctus vient de *cunneus* : le coin, terme qui désigne le sexe de la femme, en référence à l'adorable triangle pileux pubien, et qui pour moi est le blason de l'érotisme féminin, et de l'*inctus* ou *lingus*, qui désigne la langue. Dans mes ouvrages, je préfère dire « baiser vulvaire » ou « baiser clitoridien ».

RÉTICENCES

Le « cunni », c'est la caresse préférée des femmes, pourtant beaucoup d'entre elles sont encore réticentes à son égard. De nombreux hommes le sont aussi. En ce qui concerne la femme, ce qui la retient, c'est une pudeur naturelle et bien compréhensible, mais c'est surtout, hélas, une forme de honte inculquée par les hommes de la civilisation patriarcale, autrement dit judéo-helléno-romano-chrétienne. Ces sociétés phallocrates et misogynes – tout spécialement la grecque – ont dévalorisé le sexe de la femme, en particulier dans ce qu'il a d'apparent : la vulve. Ils prétendaient que la pilosité qui l'entoure et les odeurs qui s'en exhalent témoignent de la nature sauvage et inférieure de la femme, voire de son animalité. Les Hellènes ont été jusqu'à censurer de leur statuaire le triangle pileux et la naissance de la vulve. Les Pères de l'Église ont mis « deux sous (et même infiniment plus) à la musique » en faisant du sexe de la femme le siège du péché originel, péché de chair selon eux, qui nous a coûté si cher. Ils le dénonçaient comme étant « la porte de Satan ». Résultat : la femme a de sa vulve l'image d'un lieu laid, malodorant, de mauvais goût et coupable. Comment peut-elle alors l'offrir avec brio ?

La réticence des hommes est le fruit de leurs propres élucubrations misogynes, en particulier de leurs mythes religieux. En toile de fond, nous retrouvons la « mâle peur » : cette peur quasi métaphysique et viscérale que les hommes ont du génie propre de la femme et de sa puissance sexuelle.

« L'homme seul a été fait à l'image de Dieu, non la femme » ; « La femme est une créature inférieure plus proche de l'animal que de l'homme, être absolu, comme le prouve son penchant pour le plaisir. » Affirmations prononcées au concile de Mâcon, où les évêques s'étaient réunis en assemblée, pour débattre « si la femme, être hanté par la fornication, à l'instar des animaux, a une âme ».

« Tu enfantes dans la douleur et les angoisses, femme, tu subis l'attirance de ton mari et il est ton maître. Et tu ignores qu'Eve c'est toi ? Elle vit encore dans ce monde, la sentence de Dieu contre ton sexe. Vis donc, il le faut, en accusée. C'est toi la porte de l'enfer. » Tertullien de Carthage, IIe siècle

« Cette grâce féminine n'est que suburre, sang, humeur, fiel… Comment pouvons-nous désirer, serrer dans nos bras ce sac d'excrément ? »

Odon, abbé de Cluny

LE *NEC PLUS ULTRA* DU CUNNI

Ici, je me permets de reproduire une page de « bravoure » que j'avais écrite pour le *Traité du désir* (Éditions Flammarion et J'ai lu).

Vu l'état d'énamouration (terme si juste du XIIe siècle) et d'exaltation dans lequel j'étais à ce moment, je ne pourrais mieux écrire :

« La femme peut aussi, calice ouvert, aller flâner sur l'immense paysage du corps masculin. Jambes écartées et vulve tenue déclose, elle ira poser ses pétales sur la cuisse du mâle. C'est comme un baiser brûlant : c'est mouillé, c'est chaud, c'est tendre ; la femme appuie, insiste, frotte sa chair de satin sur le mâle cuir. Fabuleuse coalescence. Mais voilà que la femme remonte vers la hanche de l'homme, faisant glisser ses lèvres florifères le long de la cuisse, y traçant une longue, moelleuse et sublime caresse, y laissant tel un escargot un sillon humide. L'homme se tourne alors sur le côté pour présenter l'arrondi de sa hanche et le profil de son flanc à la procession de baisers. La femme, les cuisses toujours en écart, la fleur toujours béante, continuera sa remontée sur les rebords du mâle, chantant en allant et recueillie aux reposoirs. Elle peut toujours, enjambée sur la ligne de crête, gravir le bras de l'homme jusqu'à l'épaule. La pause sur le promontoire de l'épaule, tendre baiser vulvaire au ferme saillant des muscles deltoïde, est époustouflante ; pour peu qu'elle insiste, la femme en ces lieux pourrait être saisie d'extase. Ce qui ne l'empêchera pas de poursuivre son chemin de lumière. Elle pourrait choisir d'aller, de ses corymbes, chuchoter des secrets au pavillon de l'oreille et même lui confier les mystères d'un orgasme. L'homme ne les ayant jamais entendus d'aussi près, en resterait médusé. Elle pourrait aussi choisir, ayant remis son compagnon à plat dos, de se diriger vers l'immense plaine thoracique. L'inflorescence vulvaire ne fera que la parsemer de « poutous » légers car soudain les choses pressent. L'homme, qui a vu venir du fond de l'horizon une lumière étonnante, s'enfièvre : posant ses mains impatientes sur les fesses de sa compagne et la tirant, il l'incite à se hisser un peu plus haut.

C'est alors que l'événement le plus extraordinaire, le plus impressionnant, le plus étourdissant, le plus déconcertant, le plus renversant, le plus bouleversant, le plus fabuleux, le plus mirobolant, le plus faramineux, le plus fantastique se produit : la femme, d'un geste prodigieux, glorieux, religieux, liturgique, en un mot sacré, la femme se place au-dessus du visage de l'homme et, écartant un peu plus de ses doigts ses pétales, offre au fervent le cœur de sa fleur. C'est la vision la plus admirable, la plus merveilleuse, la plus fastueuse qu'il lui fut donné à voir. C'est opulent, c'est luxueux, c'est luxuriant, c'est exubérant, c'est munificent. C'est admirable, superbe, magnifique, magnificient. C'est somptueux, majestueux, grandiose, sublime, surnaturel. Car rien n'est aussi parfait, accompli, royal, céleste, divin que cette offrande, que cet embrasement.

N'en pouvant plus, l'homme, de ses paumes impérieuses, tire les hanches féminines et porte à sa bouche la sanguine corolle. En un instant le clitoris est entre ses lèvres qui aussitôt le sucent, le tètent, l'aspirent, tandis que la pointe de la langue le taquine, le piquetille, le titille. Pour la femme, le plaisir est extrême et confine à la douleur ; elle veut se retirer quelque peu mais l'homme la maintient. Simplement, il adoucit son appétit pour rendre supportable la volupté. Alors ce qui devait arriver se produit : après un *crescendo* de vocalises, la femme soudain pousse un cri comme si quelque chose se déchirait en elle et que le ciel se déchirait aussi, comme si son corps se pulvérisait, comme si son âme en fusait, comme si elle s'expansait au-delà de la déchirure du ciel. À ce moment de son sexe jaillit un flot si prolifique qu'il ravine le visage de l'homme, si chaud que l'homme se souvient de l'antique mer de soie où il baigna si longtemps et d'où un orage semblable l'avait expulsé. Il avait dû quitter la femme. L'orage, cette fois, c'est de la terre qu'il l'arrachera. Et la femme ne le quittera plus.

Alors, aux oreilles de l'homme tintent, sonnent, résonnent, retentissent, bourdonnent et carillonnent, joyeux, allègres, exultant, les bronzes et les airains inextricablement mêlés des cathédrales de Notre-Dame de Paris, d'Amiens, de Reims, de Chartres, d'Orléans, de Tours, de Bourges, de Strasbourg. Et s'enchevêtrent en un immense ardent et dansant flamboiement des vitraux multicolores de Paris, d'Amiens, de Reims, de Chartres, d'Orléans, de Tours, de Bourges et de Strasbourg.

Alors il n'y a plus rien à dire. Là où l'homme rêvait d'aller, il y va, par la femme emmené. Léger et tiède, l'air silencieusement glisse sous leurs ailes. Voilà qu'ils sont lumière. »

« L'homme se souvient encore qu'il est une cathédrale – un élan de foi et d'amour qui soulève les pierres, un rêve qui édifie »

Jacqueline Kelen,
Propositions d'amour, Éditions Anne Carrière.

CHAPITRE 5

L'adoration de la vulve

Un peu à la fois les femmes d'Occident sortent de la nuit noire de la répression où les tenait le patriarcat et découvrent la beauté de leur sexe. Pour en retrouver la fierté, je leur conseille vivement de consulter les traités d'érotisme sacré de l'Orient. Pendant les quatre mille ans qui ont précédé notre ère, on n'y parlait de sexualité qu'en termes poétiques, non pas pour faire de la poésie, mais parce que ces civilisations avaient naturellement de la sexualité en général et de celle de la femme en particulier une haute idée. Elles les évoquaient en termes imagés.

En Chine ancienne, on voyait dans les corps en amour des jeux de nuages et de pluie, de poissons et d'eau profonde, on les comparait à des montagnes et à des ravines, à des sources et à des fontaines, à des dragons et à des étendards. Les sexes étaient des coquillages, des fleurs ou des fruits. La vulve, en particulier, avait pour symboles la fleur du lotus, les fleurs du prunier, la pivoine et la pêche. C'est décrit et dessiné dans les manuels, c'est peint sur les objets d'art – porcelaine, soie, estampes, sculptures.

En Inde, dans les temples, on vénère, y compris les enfants, des représentations figurant un yoni (une vulve) sur laquelle est serti un lingam (un pénis). Cela se pratique toujours.

LES POÈTES ONT TOUJOURS RAISON

La répression religieuse et machiste, nous l'avons assez montré, a empêché l'esthétisation et la glorification de la sexualité ; s'y sont ajoutées la grivoiserie et la vulgarité, qui ont maltraité tout particulièrement le sexe de la femme, ne serait-ce que dans ses appellations. Bien entendu, sous ce machisme, on trouve l'éternelle crainte de l'homme face à la femme.

Ce qui a sauvé l'honneur de l'Occident, ce sont les poètes. Je n'évoquerai que deux des plus récents. André Breton : « Ma femme aux hanches de nacelle/ Ma femme aux fesses de dos de cygne/.../ au sexe de glaïeul/.../ Ma femme au sexe d'algue et de bonbons anciens/ Ma femme au sexe de miroir » (Poème « Union libre », *Clair de terre*, Poésie Gallimard, NRF). Saint John Perse : « La femme... renversée dans ses enveloppes florales, livre à la nuit de mer, sa chair froissée de grandes labiées ».

« Toi l'homme avide, me dévêts... Et tant de toile se défait, il n'est plus femme qu'agréée. S'ouvre l'été qui vit de mer. Et mon cœur t'ouvre femme plus fraîche que l'eau verte. Semence et sève de douceur, l'acide avec le lait mêlé, le sel avec le sang très vif, et l'or et l'iode, et la saveur aussi du cuivré et son principe d'amertume. Toute la mer en moi portée comme dans l'urne maternelle. »

« Et toi plus chaste d'être plus nue, de tes seules mains vêtues… Chair de femme à mon visage, chaleur de femme sous mon flair, et femme qu'éclaire son arôme comme la flamme de feu entre les doigts mi-joints. »

« Et comme le sel est dans le blé, la mer en toi dans son principe, la chose en toi qui fut de mer, t'a fait ce goût de femme heureuse et qu'on approche… Et ton visage est renversé, ta bouche est fruit à consommer, à fond de barque, dans la nuit » (*Amers*, Poésie Gallimard, NRF).

Ainsi, quelles que soient les époques, toujours la femme en son intimité renvoie à la mer, ou à des fruits, ou à des fleurs. La mer en raison de l'abondance de l'eau, de ses senteurs marines, de son goût salin. Des fleurs en raison de ses plis et replis qui évoquent sépales et pétales. Des fruits à cause de sa consistance charnue, de son camaïeu de couleurs. Quant au clitoris, il fait irrésistiblement penser à un bouton de rose ou à une baie.

Mais les temps changent et bientôt l'adoration du sexe de la femme ne sera plus réservée aux poètes. La guerre cessera et la réconciliation se fera. Déjà des hommes nouveaux apparaissent.

« N'entendent-elles pas, les femmes, leurs amants fascinés par la saignée de leur corps, étourdis de sang et de feu, murmurer comme il est beau le désir d'une femme ; n'entendent-elles pas les chants de ces adorants de la féminité : « Ô Femme, je suis au cœur de ton continent, en ce jardin tropical dont la chaleur humide et les senteurs me grisent. Par mes doigts, par mes lèvres, par ma langue, je butine et je cueille, j'effleure et j'effeuille, je hume et je goûte ton corps florifère. Calices vermillon, corolles écarlates, pétales érubescents, sépales corallines et franges carminées, vous m'enivrez de vos essences. Corymbes capiteux qui exhalez le campêche et l'ambre, boutons incarnats qui vous gorgez et vous tendez, vous me saoulez de vos inflorescences. »

« Ô Femme, ô florilège, embaume-moi de tes fragrances, ensevelis-moi de tes velours garance. Ô Femme, je suis aux sources de la vie. L'eau d'amour, l'eau féminine, l'eau jaillie de ton rocher par l'homme frappé, sourd du plus profond, ruisselle, scintille et ravine plis et replis. L'eau bue à chaque faille profuse, carat par carat, comme goutte de vie. Ô quintessence de la féminité qui me rebaptisait chaque nuit… Ô femme, comme il est beau ton plaisir. » (Gérard Leleu, *Le Traité des caresses*, Éditions Flammarion et J'ai lu).

« Un jour viendra où les hommes béniront la fière toison qui se tend au faîte de la butte. Où ils loueront sous le crin la ronde colline où reposera leur front, où pèsera leur corps. Où ils chanteront la femme en son verger, le fruit gorgé de suc, la pulpe de désirs pleine, fendue comme une pêche, plus juteuse que mangue. Où ils vanteront, aux marches du palais, l'exquise pousse, le bourgeon ardent, le divin bouton. Où ils célébreront, en les butinant, les effleurant, les effeuillant, les calices vermillon, les corolles écarlates, les pétales érubescents. Ces plis et ces replis carmin. Ces festons et ces godrons, ces ourlets et ces godets, ces froncis, ces troussis, ces pinces, ces drapés. Plus secrets que l'iris, plus parfaits qu'orchidées. Où ils glorifieront la rosée qui perle, l'ondée qui s'abat, la source qui ruisselle et l'eau qui ravine, rutile scintille.

Qui les baptise fastement. Qui les sacre solennellement. Alors ils se prosterneront, étourdis de sang et de feu. » (Gérard Leleu, *Le Traité du désir*, Éditions Flammarion et J'ai lu).

ENIVRANTS ARÔMES

Contrairement à ce que disaient les machos des temps obscurs, le sexe de la femme est un fouillis d'arômes enivrants qui exalte le désir de l'homme. Encore faut-il le capter au bon moment, ni trop jeune, ni dépassé, « tourné ». Nous en avons parlé au chapitre 2, partie II.

« De nos jours, l'excès de propreté risque de réduire l'appétit masculin. En perdant ses odeurs, le creux féminin perd de sa magie. Foin des replis inodores fraîchement sortis des vasques sanitaires ! Peste des sillons désodorisés par quelque spray d'apothicaire ! Il n'est de parfum plus enivrant que celui d'un sexe au soir tombant, quand les essences, par moult pertuis distillées, brassées par les mouvements incessants de la journée, infusées dans la chaleur des profondeurs, offrent la plus sublime composition. Pour peu que la femme, troublée par la vue de son amant, y ajoute quelques larmes érotiques, c'est le délire » (Gérard Leleu, *Le Traité du désir*, Éditions Flammarion et J'ai lu).

Dans le fouillis des arômes, on peut distinguer selon les sites des fragrances dominantes. Sur le pubis, des senteurs boisées – sous vos pas les feuilles d'automne s'envolent et tourbillonnent avant de mourir. Dans les plis de la vulve, en avant, effluves océanes – à vos pieds la mer descendante abandonne des rubans de laminaires. Au centre de la vulve, odeurs fleuries – dans la chaleur tropicale d'une serre, narcisses et lys attendent les mariés. En arrière, parfums épicés. Sur les marchés d'Antigua curry, santal, cannelle s'emmêlent sous vos narines.

Alors l'homme de faire le geste somptueux de s'incliner sur le florilège et d'inhaler avec délectation les folles essences, de s'en saouler. Et de rendre grâce à la femme.

DES FAVEURS ET DES ÉLIXIRS

La vulve offre moult saveurs. Mais souvent les odeurs et les goûts se confondent. On sait que le sens gustatif se situe autant dans les fosses nasales que sur la langue. Ses sensations ne sont nettes qu'en deux points : en avant, là où s'affirment les « notes » marines, s'associe un léger goût de sel. En arrière, à hauteur du vestibule vaginal, le goût est nettement acidulé, rappelant les yogourts bulgares (le gentil bacille de Doderlein produit de l'acide lactique) ou, selon le poète, le bonbon anglais.

CHAPITRE 6

Géographie du vagin

A priori, la cavité vaginale est le lieu de réception du pénis et on ne voit en quoi les caresses peuvent le concerner, à part quelques introductions de doigts par curiosité ou dans le dessein d'exciter la femme et de s'exciter. Pourtant, nous allons voir qu'elle peut être le lieu d'une des plus belles et des plus voluptueuses caresses qui soient.

LA VOIE DU PLAISIR

Les plaisirs ressentis sont en rapport avec la structure de la cavité ; elle est faite de trois gaines cylindriques enroulées l'une sur l'autre. La gaine profonde est musculaire, c'est-à-dire faite de fibres musculaires circulaires et longitudinales qui lui permettent de se resserrer ou de se dilater ; elle est pourvue d'une sensibilité dite « profonde » ou « intéroceptive » qui informe sur son état de contraction ou de décontraction mais aussi sur son état de distension passive. La gaine intermédiaire est faite de tissus érectiles qui vont se remplir de sang et s'engorger en cas de désir et de plaisir ; elle est de plus pourvue d'une sensibilité intéroceptive qui rend compte de son état de vasodilatation et de remplissage. La gaine superficielle est une muqueuse dotée d'une riche sensibilité dite « extéroceptive », pourvue de multiples capteurs sensitifs, capteurs tactiles, capteurs thermiques, capteurs algiques, mais pas de capteurs de volupté de Krause. Elle perçoit tout ce qui se passe en surface.

En ce qui concerne le plaisir, la cavité vaginale est sensible à trois sortes de stimulation, que peuvent procurer soit le pénis, soit les doigts, soit un objet :

Le contact, présence immobile ou frottements, qui concerne la sensibilité extéroceptive de la muqueuse.

La réplétion ou distension, proportionnelle au diamètre de ce qui est introduit, concerne la sensibilité intéroceptive de la gaine érectile et de la gaine musculaire.

L'effet sur la paroi, d'autant plus réjouissant qu'il tombe sur un point érogène ou sur le col utérin.

La *Belle au bois dormant*

Au départ, la sensibilité vaginale est endormie, c'est pourquoi trois femmes sur dix seulement obtiennent un orgasme par coït, c'est-à-dire par introduction de la verge. Certes, sa muqueuse ne comporte pas de corpuscules de la volupté de Kraus, mais elle est très riche en capteurs sensitifs qui, en certains points, se concentrent pour former des points ou des zones érogènes – points G, A, C, P, col utérin et cul-de-sac vaginaux. Au total, la cavité vaginale constitue une véritable « constellation érogène » (Gérard Leleu, *Les Secrets de la jouissance au féminin*, Leduc.s Éditions). Alors pourquoi dort-il, ce vagin ? Parce que, contrairement au clitoris, très tôt et assez souvent caressé, il n'est quasi jamais sollicité par sa propriétaire, étant peu accessible aux doigts et inaccessible à la vue. Situation qui s'aggrave à la puberté : la vulve recule entre les cuisses, une pilosité fournie s'installe, les règles apparaissent et la gamine entend parler d'hymen et de virginité, bref tout un ensemble de faits qui la dissuade d'y introduire les doigts. Pendant quatorze ans au moins, le vagin reste un territoire quasi inexploré et inconnu, une « Belle au bois dormant ».

Par la suite, des approches de son vagin vont se faire : c'est l'usage de « tampons périodiques », parfois d'objets, voire même de sex-toys. Et un jour ce sera le doigt ou la verge d'un garçon, éventualité de plus en plus précoce : l'âge du premier rapport sexuel était en 1954 de 18,8 ans pour les garçons et de 20,6 ans pour les filles ; en 2007, il était de 17,2 ans pour les premiers et de 17,6 ans pour les secondes (Inserm, Enquête C.S.F., mars 2007).

Le garçon, considéré comme « le Prince charmant », est chargé de l'éveil sexuel de la fille, et particulièrement de la « Belle au bois dormant », son vagin. Hélas, il n'a pas de baguette magique, si bien que le nombre d'adolescentes qui éprouvent quelque plaisir au premier rapport est insignifiant. Certaines qui sont amoureuses et aimées du garçon sont heureuses de l'avoir en elles, c'est toujours ça, c'est même très beau ; mais la plupart non seulement ne sentent rien mais sont écœurées, voire désespérées d'avoir servi d'objet d'expérimentation et d'assouvissement pour un ado déformé par les images porno. De toute façon, même s'il n'était pas sous l'influence catastrophique du porno, l'ado ne peut savoir ce qui est bon pour une fille. Homme, il ne connaît que le geste mécanique, simpliste et brutal qu'il s'administre quand il se branle. Il ignore les arcanes et les subtilités de la sexualité féminine.

Il se peut qu'après plusieurs princes successifs ou un seul mais durable, c'est-à-dire après des centaines de rapports, la belle, alias le vagin, s'éveille. La femme aura alors vingt-cinq, trente-cinq, quarante ans. La maturité sexuelle est tardive dans nos pays dépourvus de traditions érotiques et passés de la répression totale à la pornographie absolue.

ÉROTISATION DU VAGIN

Il s'agit de faire d'un trou sourd et muet une cavité vivante, vibrante et voluptueuse. Qui va opérer le miracle ? La femme elle-même, d'abord, seule, puis avec l'aide de son prince charmant nouvelle génération. De toute façon, il est impossible qu'elle reste passive.

En premier lieu, il est nécessaire que la femme connaisse, aime, voire admire son sexe, pour elle-même et pour guider l'homme. Elle s'explorera par le toucher, en surface et en profondeur, repérera les zones et les points plus sensibles. Le clitoris c'est à portée de main, le point G c'est un peu plus loin, le col utérin et les culs-de-sac encore plus loin, il faut un peu se tordre la main et avoir les doigts longs ou le vagin court. Elle s'explorera aussi par la vue par l'intermédiaire d'un miroir : le clitoris est facile à voir, le vestibule aussi, le point G réclame une certaine technique (Gérard Leleu, *Les Secrets de la jouissance au féminin*, Leduc.s Éditions).

Ayant découvert son sexe, la femme s'auto-érotisera en se caressant elle-même, en se faisant « jouir » elle-même. Par ses doigts, par des objets, par des sex-toys. Oui, vous avez bien lu, des « sex-toys », c'est la seule exception que je fais au « cousu main », car il s'agit pour la femme de gagner cinq, dix, voire vingt ans de plaisirs vaginaux – jouissance ou orgasme. Dieu merci, si j'ose dire, elles n'ont pas attendu ma bénédiction puisqu'une grande proportion d'entre elles utilisent les jouets. Dans l'Enquête C.S.F. de 2007, 50 % des femmes de dix-huit à vingt-quatre ans disent connaître la masturbation, de même que 75 % de celles de vingt-cinq à quarante-neuf ans (contre 90 % des hommes,) sans que l'on puisse savoir si la pratique était digitale ou mécanique. Mais depuis lors, la vente des sex-toys double chaque année. Dans certains milieux, 98 % des femmes usent de jouets, comme c'est le cas d'une grande école d'art, selon une thèse qui y fut soutenue.

Toute séance d'auto-caresse vaginale sera précédée de caresses sur tout le corps, des seins, en particulier, et bien entendu de l'incontournable clitoris, véritable clef du vagin. On le sait, la stimulation du bouton entraîne une lubrification du vagin, son intumescence et sa transformation en montgolfière. Il y a vraiment une relation étroite entre les stimulations clitoridiennes et l'aptitude du vagin à recevoir le pénis. Il y a belle lurette que Kinsey avait démontré que les femmes qui jouaient avec leur clitoris dès leur enfance avaient infiniment plus de chances d'obtenir des orgasmes vaginaux.

C'est la raison pour laquelle le fin du fin de l'érotisation du vagin, c'est d'associer à l'auto-érotisme de la cavité une stimulation clitoridienne. Ainsi s'établit le merveilleux conditionnement dont j'ai déjà parlé.

L'érotisation par « un prince charmant » new-look s'ajoutera au « travail » de la femme sur elle-même. Il pourra faire alterner l'action de ses mains – les belles caresses que nous décrirons bientôt – et celle de son pénis en mission très spéciale. Comme toujours, il n'oubliera pas au préalable de dispenser force caresses à tout le corps de son aimée, et en particulier aux points chauds : mamelon et clitoris.

Deux petits exercices d'érotisation en duo pourront égayer vos dimanches pluvieux, ce sont du reste plutôt des exercices de conscientisation du vagin.

L'homme ayant introduit un ou deux doigts dans la cavité, la femme exécute sur ceux-ci une succession de petites contractions de son vagin, en étant complètement centrée sur ses sensations.

L'homme ayant introduit son pénis et le laissant immobile, la femme se concentre sur ce qu'elle ressent tandis qu'elle visualise le pénis en elle. Ensuite, elle pratiquera quelques contractions sur ce dernier, en signe de complicité et de gratitude.

Il s'agit d'éveiller les capteurs sensitifs, de les aiguiser et de mettre en route des circuits neurologiques préexistants mais restés inactifs.

SUPPLÉMENT GRATUIT

De faire travailler les muscles du périnée pourrait améliorer la conscience du vagin, et donc sa jouissance. Le périnée c'est le fond du bassin, un hamac de muscles tressés, tendu du pubis, en avant, au sacrum, en arrière. Le muscle pubo-coccygien en est le plus actif, on l'appelle aussi « papillon », en fonction de sa forme, ou « muscle du bonheur », en fonction de son rôle (il bat de façon rythmique au cours de l'orgasme) ; il a aussi la particularité d'entourer, de « cravater » le vagin dans son tiers inférieur, c'est pour cela qu'il nous intéresse ici. Si la femme travaille sur ce muscle et le renforce, elle le sentira de mieux en mieux et du coup sentira mieux aussi son vagin. Elle en aura une meilleure jouissance, ce que l'on recherche ici. Et au-delà, elle acquerra un meilleur accès à l'orgasme.

Les exercices qui permettent de fortifier le muscle P. C. sont ceux prescrits par Kegel. Au début, on les a utilisés pour soigner l'incontinence urinaire, puis pour améliorer l'accès à l'orgasme. Employons-les ici pour améliorer la conscientisation du vagin. D'abord repérez votre P. C. par la technique du stop-pipi, alors que vous êtes en train d'uriner, arrêtez le jet, puis libérez-le. Vous venez, sans le savoir, de contracter votre P. C. Dès lors amusez-vous à la contracter une vingtaine de fois en suivant. Renouvelez la série trois ou quatre fois par jour. Ce qui ne vous prendra pas de temps car vous vous exercerez en tout lieu et à tout heure. Certaines réunions dites « conseils » s'y prêtent particulièrement : conseils municipaux, paroissiaux, d'administration, etc.

Madame, je profite de votre passage dans le livre pour vous indiquer une des plus désopilantes caresses qui soient : le pénis de votre amoureux étant logé en vous, pressez sa base par de brèves mais puissantes contractions de votre P. C. Vous m'en direz des nouvelles, mais je peux vous annoncer que la surprise et la joie de votre aimé seront telles que jamais il ne vous quittera. Comme dit un traité hindou d'érotisme : il faut « faire comme la laitière… qui trait sa vache » ; le plaisir est tel que « le mari n'échangerait pas une telle femme contre la plus belle des reines des Trois Mondes » (*Ananga ranga*).

CHAPITRE 7

La divine caresse

C'est la caresse que la main de l'homme donne au vagin. C'est une caresse méconnue, donc rarement prodiguée. Et pourtant elle transporte les femmes : beaucoup disent que c'est meilleur que le coït ; celles qui l'ont connue la réclament.

D'un point de vue pratique, le but est de prodiguer des contacts à la muqueuse vaginale et d'exercer des pressions sur la paroi sous-jacente. Le choix des doigts va de soi : les plus longs, à savoir le majeur, l'index, l'annulaire, un seul, ou deux associés, ou trois. On distingue les caresses globales, qui s'adressent à toute la surface du palais, et les caresses précises, centrées sur les joyaux, c'est-à-dire les zones et les points érogènes remarquables.

LES CARESSES GLOBALES

Les caresses globales consistent à introduire le ou les doigts et à leur faire effectuer des mouvements de va-et-vient qui frottent et pressent la paroi en avant, sur les côtés et en arrière. Le mouvement est plutôt rapide, imitant le coït. Si on associe plusieurs doigts, on ajoute aux frottements une certaine distension des parois et un effet de réplétion. On peut aussi replier la première phalange d'un doigt et masser une face ou l'autre selon des petits cercles.

Le pouce est plus gauche, mais il est large et puissant. Introduit pulpe en avant, il massera avec un enthousiasme non feint la paroi antérieure de la sainte antre, pendant que mine de rien les grands doigts font des gammes sur le clitoris. Introduit pulpe en arrière, il massera avec un bonheur sans mélange la paroi postérieure tandis que, l'air de ne pas y toucher, les grands doigts pianoteront quelques sonates sur la marge de l'anus.

L'introduction du poing offre le maximum de réplétion et est possible puisque les parois sont particulièrement élastiques (un bébé n'y passe-t-il pas ?). Mais ce geste me semble manquer d'élégance et de… doigté.

Pour procurer du plaisir, les caresses doivent être offertes un temps long, surtout quand le site n'est pas éveillé. Il faut donc à l'homme faire preuve d'une constance et d'une belle abnégation, dans la mesure où des douleurs et des crampes peuvent survenir dans son avant-bras. Pour les éviter, l'aimant devra adopter des positions confortables.

L'homme sera très à l'écoute de la femme pour juger de son plaisir ou d'éventuels désagréments. Il sera attentif à ses moindres réactions, à ses frémissements, à ses légers murmures, aux modifications de sa respiration. La pulpe de ses doigts sentira tout ce qui provient de la muqueuse, la moindre variation de son relief, ses vibrations et irradiations, son magnétisme.

En fonction de ce qu'il perçoit, l'amoureux modulera ses caresses : les allégera, les renforcera, les ralentira, les accélérera.

Les préludes sont ici plus que jamais indispensables, et principalement les caresses du clitoris. Ce sont elles qui vont mettre le vagin dans un magnifique état de fête : splendide intumescence, lubrification de rêve et dilatation en montgolfière. Sur les ordres du clitoris, le vagin déroule pour les amoureux le tapis rouge.

Les accompagnements, comme toujours, multiplient les voluptés : stimulation des mamelons, du clitoris, de la marge de l'anus, avec les doigts ou la bouche. Et aussi agacements de la peau en divers endroits avec les mains ou la bouche : la rayer, la griffer, la pincer, la bécoter, la sucer, la lécher, etc. Pourquoi se contenter d'une gamme quand on peut jouer une symphonie.

Le but est de dispenser du plaisir au vagin sous deux formes : la jouissance et l'orgasme. Mais ici les sensations sont tellement profondes et voluptueuses que le plus souvent la jouissance suffit à l'amoureuse.

Après la caresse globale de la cavité vaginale, nous allons maintenant honorer celle-ci point par point.

LE POINT G

Il n'y a rien de nouveau sous le soleil. Le point G était connu des Orientaux depuis des millénaires avant notre ère ; les Chinois, toujours experts en matière d'érotisme, l'appelaient la « perle noire ». Connu aussi des anciennes civilisations d'Amérique du Sud : à Panama, on le nommait « la belle folle » ou « le clitoris intérieur ». Connu des médecins grecs : déjà Gallien avait dit que c'était la prostate de la femme. Connu et cité au cours des siècles par divers médecins européens. Redécouvert par Gräfenberg, en 1944, nié par Kinsey, en 1947 qui, du reste, à la suite d'expériences approximatives, dénie au vagin toute sensibilité. Master et Johnson, dans les années 1960, ont suivi ce dernier sans expérimenter ; dommage, avec leurs centaines de sujets en observation, ils avaient, sous la main, c'est le cas de le dire, tout ce qu'il fallait pour faire un travail étendu. Enfin vint le couple Ladas (Alice et Harold), en 1977, qui reconnut et décrivit scientifiquement le joli point.

« En avoir ou pas » est un faux problème, il ne faut pas en faire toute une histoire : toutes les femmes ont un point G, qui est tout simplement un vestige d'un tissu prostatique : on le sait, tout humain est à la naissance potentiellement femme et homme. Les chromosomes – XX pour la femme, XY pour l'homme – et les hormones – folliculine pour la femme, testostérone pour l'homme – décident au bout de quelques jours du sexe, et donc de l'anatomie, mais les vestiges des ébauches d'organes sexuels persistent. Le point G est tout simplement un vestige de prostate embryonnaire. Chez certaines femmes il est sensible d'emblée, chez d'autres il le deviendra, chez d'autres encore sans doute pas et ce n'est pas grave. C'est comme avoir une « oreille musicale », ou pas, un « nez » de parfumeur, ou pas, si on n'en a pas, on n'en fait pas un complexe, on vit très bien sans. Pourquoi, en matière de sexualité, faudrait-il tout avoir et au maximum ? Et puis celle dont le point G roupille a un autre point très éveillé : le clitoris, le mamelon, le lobule de l'oreille ou le gros orteil. Et celle qui a un point G exalté a peut-être des mamelons endormis.

J'appelle ce point « la perle de Vénus » car je trouve inconvenant de donner le nom d'un mâle à un point aussi féminissime, quel que soit le mérite du docteur Gräfenberg.

TROUVER LA PERLE

Il est souhaitable que ce soit la femme elle-même qui la découvre d'abord : d'une part, afin de l'érotiser par des auto-caresses et, d'autre part, afin de guider l'homme dans ses recherches. Elle s'explorera par le toucher et aussi par la vue à l'aide d'un miroir (Gérard Leleu, *Les Secrets de la jouissance au féminin*, Leduc.s Éditions).

Étant donné que le thème de ce livre porte sur les caresses entre les êtres, je décrirai la découverte de la perle par l'homme.

L'exploration, qui est un geste d'affection autant qu'un acte érotique, sera précédée de déclarations d'amour, de belles caresses sur tout le corps, et plus particulièrement d'une stimulation du clitoris. Celles-ci auront comme heureux effets de mettre en intumescence les tissus érectiles de la perle, donc de la rendre mieux repérable et, en outre, d'assurer une bonne lubrification de la paroi vaginale. Et puis comme tout point, la perle ne se prend pas à froid : c'est désagréable et goujat.

La perle se trouve sur la face antérieure du vagin, à 4 centimètres de l'entrée ; mais attention, elle peut aussi se trouver plus près de l'entrée, à 1 centimètre, ou plus haut, à 6 centimètres. La femme est allongée sur le dos, les cuisses écartées, l'homme se place sur le côté ou entre les jambes. Pour aider au repérage, il est préférable que la femme ait vidé sa vessie.

Introduisez doucement un grand doigt, le majeur de préférence, associé ou pas à l'index ou à l'annulaire, pulpe en avant, c'est-à-dire vers la paroi antérieure du vagin. Quatre centimètres de profondeur, cela correspond aux deux premières phalanges. Faites une pause, en restant immobile quelques instants, comme pour prendre contact. Puis recourbez la première phalange et allez toucher la paroi vaginale pour découvrir la perle. Elle se présente comme une zone rugueuse ou, en tout cas, moins lisse, c'est-à-dire faite de petits plis parallèles. Frottez fermement, plus que vous ne le faites pour le clitoris, en va-et-vient et en petits cercles.

Deux signes vont vous confirmer que vous êtes au bon endroit :

- La femme va accuser une envie d'uriner (mais ce n'est qu'une envie, pas un besoin car elle a vidé sa vessie et il n'y a pas de risque d'émission d'urines)
- La perle va grossir, s'élargir et durcir pour devenir une bosse de 10 à 20 millimètres (c'est l'intumescence qui l'amplifie). Continuez de frotter, longtemps, patiemment. Si la perle est sensible de

naissance, un certain plaisir apparaîtra ; mais il peut aussi apparaître des sensations bizarres, à la limite désagréables, toutefois pas au point de devoir arrêter la stimulation.

La perle repérée, vous en ferez un site de caresses parmi d'autres. Et après des jours, des semaines, voire des mois, un beau soir ou bel après-midi, le plaisir apparaîtra et ira croissant. Jouissance particulièrement profonde et impliquante. Et peut-être un orgasme, souvent accompagné d'éjaculation féminine.

Pour caresser la perle, vous faites comme vous avez fait pour la repérer, puis vous prolongez vos frottements. Ils doivent être appuyés mais sans crispation. C'est le majeur qui est aux commandes, aidé ou pas de l'index. Il effectue des va-et-vient et des petits cercles. Une figure particulièrement agréable : le majeur est d'un côté de la bosse-perle, l'index de l'autre et ils frottent de bon cœur. Comme toujours, soyez très attentif aux réactions de votre compagne et à ce que sentent vos pulpes. Et ne rechignez pas sur les accompagnements : caresses du mamelon, du clitoris, de la marge de l'anus, baiser sur la bouche. Éveiller la perle, ce n'est pas un « boulot » à part, cela fait partie du grand jeu érotique et amoureux.

QU'Y A-T-IL DANS CETTE « PERLE » ?

En réalité, ce n'est ni une « perle », ni un « point », c'est la zone d'achoppement d'une coulée de tissus, sans limite précise, qui entoure l'urètre, et donc se glisse entre celui-ci et la face antérieure du vagin.

Elle est faite de tissu érectile, de glandes de Skene et de capteurs sensitifs. C'est l'équivalent de la prostate masculine, c'est même, en termes officiels de la nomenclature internationale, « la prostate féminine » ; elle pèse 5 grammes, contre 30 grammes chez l'homme. Masser la perle équivaut au massage de la prostate chez l'homme.

Les sensations voluptueuses sont redevables au tissu érectile et aux capteurs sensitifs.

CARESSE DE LA PERLE AVEC LE PÉNIS

Il s'agit, Monsieur, de faire avec votre pénis ce que vous faites avec votre majeur, à la différence que l'organe mâle est infiniment moins habile et tellement malappris. Il faut donc avoir parfaitement repéré la perle par le toucher afin de bien la visualiser et ensuite de bien la « viser ». Reste à bien la frotter avec votre gland. Vous me dites que c'est « l'histoire d'un éléphant dans un magasin de porcelaine ». Faut-il vous rappeler qu'« il n'est pas nécessaire d'espérer pour entreprendre, ni de réussir pour persévérer » (Thomas More).

Pour augmenter vos chances d'un impact de votre gland sur la perle, il vous faut choisir les positions les plus favorables à cette rencontre historique ou plus exactement préhistorique. De fait, la meilleure position est celle que nous adoptions quand nous étions encore quadrupèdes : la femme « à quatre pattes », l'homme à genoux derrière ses fesses ; dans cette position, la rencontre entre le gland et la face antérieure du vagin tombe pile sur le point G (lequel s'est sans doute formé là pour satisfaire cet abord postérieur). On appelle habituellement cette position « la levrette », je l'appelle « la lionne », car une femme ne peut être comparée qu'à la reine des animaux.

Encore faut-il, pour que cela soit opérant, que le mâle soit plus grand que la femelle, en sorte que son fémur soit plus long que celui de sa partenaire, donc son bassin plus haut, donc l'angle d'attaque du pénis oblique vers le bas. Si l'homme est plus petit que la femme, l'impact de son gland avec la paroi vaginale se situe hors du point G. Il vous faut donc, Monsieur, choisir une femme plus petite que vous. Ou bien disposer de bons coussins, fermes et épais, que vous glisserez sous vos genoux. Quant à vous, Madame, le fait de creuser vos reins et de bouger votre bassin d'avant en arrière et d'arrière en avant rendrait la rencontre aussi mémorable que préhistorique.

L'autre position, c'est celle dite d'« Andromaque », que j'appelle la « cavalière » parce que la femme chevauche le bassin de l'homme, lequel est couché sur le dos. Le rendez-vous entre la perle et le gland se fait lorsque la femme se penche en avant. Ce qui apporte, en plus, moult avantages : les seins de la femme remplissent les mains de l'homme avide, son visage se rapproche de celui de l'homme, ce qui permet à celui-ci d'attraper la bouche de l'aimée ou, *nec plus ultra*, le lobule de son oreille. Cela demande une certaine souplesse, mais ça vaut le coup, si j'ose dire, car les exultations de votre aimée vous feront regretter une fois de plus de n'être pas une femme.

Autre position : celle du missionnaire dans sa version « missionnaire converti à l'érotisme » : la femme allongée sur le dos, jambes en l'air, talons reposant sur les épaules de l'homme, lequel est à genoux entre les cuisses féminines. Ici, c'est sous les fesses féminines qu'il faut placer un bon coussin, ferme et large, ce qui fera que le vagin s'offrira sous un bon angle aux heurts joyeux du gland. En général, les partenaires utilisent les oreillers qu'ils ont sous la main, mais ceux-ci sont trop mous et les fesses de l'aimée s'y enfoncent.

L'appellation « position du missionnaire » demande un éclaircissement sans lequel vous continueriez à vivre pire que dans l'ignorance : dans le péché. Cessez donc de croire que l'expression est inspirée par la position que prend un missionnaire qui succombe à la chair (l'homme au-dessus, la femme en dessous). En vérité, c'est la position que prescrit le missionnaire aux « sauvages » des pays exotiques où l'érotisme florissant et la chaleur accablante couchent l'homme sur le dos tandis que la femme semble triompher en s'exaltant dans des positions aériennes, ce qu'avait condamné un concile réuni pour décider de la position qui devait être celle de l'homme et qui avait conclu qu'il sied à l'homme, être supérieur, d'être au-dessus, et que la femme, être inférieur, devait être dessous. Les théologiens s'appuyaient également sur l'histoire de Lilith, la première femme d'Adam (citée une fois dans le livre d'Isaïe mais bien connue dans la tradition orale). Belle, intelligente et voluptueuse, celle-ci se considérait comme l'égale du premier homme, aussi exigeait-elle, en matière de relations sexuelles d'alterner les positions : une fois lui au-dessus, une fois elle. Adam refusa, Dieu lui donna raison et chassa Lilith du paradis (depuis elle hante le monde et tourmente les nouveau-nés) et la remplaça par la très soumise Ève.

Quel plaisir attendre de la rencontre entre le gland et la perle ? Au début il est le plus souvent absent ; il va s'éveiller (ou pas) un peu à la fois, se transformer en bonne jouissance et culminer, si on le laisse aller, en orgasme, en général de grande magnitude, de tonalité profonde, et souvent accompagné d'éjaculation féminine.

CARESSES DU DÔME VAGINAL

Il s'agit de caresses profondes concernant le haut du vagin : le col utérin et les culs-de-sac vaginaux, caresses absolument bouleversantes.

Le vagin, dans sa partie supérieure, forme une sorte de dôme au milieu duquel le col se détache comme un pendentif sur une voûte gothique ; tout autour du col est un sillon circulaire qu'on appelle cul-de-sac vaginal. Le col est à 6 centimètres (plus ou moins) de l'entrée du vagin, les culs-de-sac à 7 centimètres (plus ou moins) ; le col a un calibre de 20 à 35 millimètres. Il faut savoir que, hors excitation, le corps utérin est couché vers l'avant, ce qui fait que le cul-de-sac antérieur est écrasé sous lui et que le cul-de-sac postérieur est occupé par le col basculé en arrière. Heureusement, il y a un Bon Dieu pour les amoureux : si on excite le clitoris, l'utérus se redresse, dégageant le cul-de-sac antérieur et le postérieur. En conséquence, le haut du vagin se dilate en montgolfière.

Laisser caresser ses profondeurs, c'est un insigne honneur que fait une femme à un homme. Mais elle ne le regrettera pas… Auparavant, comme toujours, des préludes seront joués sur l'ensemble du corps, puis sur le clitoris ; ces dernières caresses ont un rôle majeur puisqu'elles vont provoquer la lubrification, l'intumescence et la dilation en montgolfière du haut vagin. Et par-dessus tout : le désir de la femme.

C'est un grand doigt, le médius, auquel peut s'adjoindre l'index, qui va officier. Il est introduit doucement, avec respect. Il reste immobile quelque temps pour se faire accepter et « prendre la température ». Il peut faire une étape sur le point G ou sur d'autres points de la constellation. Puis il monte et se hisse au sommet du dôme. Là, il découvre quelque chose d'extraordinaire qu'aussitôt l'amoureux se représente dans sa tête : une voûte de chair lisse, tendue, humide, chaude avec, en son centre, un cylindre de chair proéminent et dur. Ce sont les culs-de-sac vaginaux expansés et le col. Une sensation aussi bouleversante, une telle beauté voudraient qu'on se jette à genoux. Hélas, cette découverte échappe à la quasi-totalité des êtres.

Mais ce n'est qu'une des surprises qui attendent l'aimant. De son majeur celui-ci offre des caresses, frottant assez fermement la muqueuse du dôme puis celle du col, par petites touches. Il s'amuse même à faire bouger le col de droite et de gauche ou vers le haut. À entendre les chants de l'aimée, les sensations que cela lui procure doivent être assez exceptionnelles.

Alors une idée géniale vient à l'amoureux. Avec deux doigts accolés (majeur et index), il se met à tourner dans le sillon autour du col, assez rapidement et en frottant fermement, ce qui conjugue plaisir de contact et plaisir de dilatation des culs-de-sac. Dire que la femme est aux anges c'est vraiment trop peu dire car en vérité elle est au ciel. La jouissance est sublime et l'orgasme, si on le voulait, est à portée de main, si on peut dire. Cette puissance du plaisir s'explique par la richesse d'innervation des culs-de-sac à leurs attaches sur le col et à sa coloration « viscérale » : réellement l'utérus, le péritoine et des anses intestinales sont ébranlés. Les sensations sont profondes, voire bouleversantes. L'orgasme, s'il survient, est séismique. C'est vraiment une merveille de caresse que la divine caresse.

Cette façon de faire rappelle le « massage du col » que pratiquaient autrefois les gynécologues – en tout bien, tout honneur – pour apaiser l'anxiété de leurs patientes dites « hystériques », des femmes qui présentaient des troubles mal cernés par les médecins. Ces derniers, qu'ils soient égyptiens aussi bien que grecs – dont Hippocrate –, prétendaient que la cause en était une faim non assouvie de la matrice. *Hysteros* signifie utérus.

Le pouce est-il capable de prodiguer de telles bontés ? Oui parce qu'il est fort et large, mais malaisément car il est court, le geste est malcommode. Il faut l'introduire précautionneusement, il va alors délivrer d'excellents massages de sa pulpe aux culs-de-sac vaginaux.

Le point C – C comme cul-de-sac – se trouve dans le sillon vaginal postérieur ; il est plus particulièrement sensible. C'est sur lui que bute le pénis dans la position classique du missionnaire.

Le point A se situe sur la paroi antérieure, à mi-distance entre le point G et le fond du cul-de-sac antérieur ; c'est un prolongement de la prostate féminine, il en a la structure (un tissu spongieux érectile). Il est sensible à un massage des doigts, prolongé et patient à en attraper des crampes. Quant à ce balourd de pénis, il ne peut « faire dans la dentelle », mais au cours du coït, il tamponne nécessairement la zone.

Le point P – P comme postérieur – se situe sur la paroi postérieure, à mi-chemin entre l'entrée du vagin et le cul-de-sac vaginal postérieur. Sa sensibilité est renforcée par le fait que la paroi est ici mitoyenne avec le rectum ; une telle cloison biface a assurément une sensibilité particulière. Ici, le doigt caressant peut éveiller quelques douceurs ; quant au pénis, il peut, sous la direction d'un habile propriétaire, avoir des impacts avec le point, à condition que l'amoureuse ait pris une position favorable : à savoir, position de la cavalière penchée en arrière.

S'il fallait résumer en quelques mots les qualités requises pour offrir toutes ces caresses, ce serait : être attentif à la partenaire, douceur, subtilité.

PARTIE X

LE SEXE DE L'HOMME

CHAPITRE 1

L'homme nouveau est arrivé

« "Le repos du guerrier" ? C'était le bon temps ! Le "devoir conjugal" ? C'est nous que ça concerne désormais. » Ainsi parlait un homme en « déplacement » dans un hall d'hôtel où j'étais moi-même déplacé. Il avait un peu bu, il était surtout « paumé » et en veine de confidences.

« Désormais faut "assumer" les dernières pirouettes qu'elles ont découvertes dans un magazine féminin. Je trouve parfois sur mon oreiller un de ces hebdomadaires ouverts à la "bonne page". Par exemple : "Contre l'usure du couple évitez la routine, renouvelez vos pratiques. Faites l'amour dans des lieux insolites". Et de citer les ascenseurs, les cabanes de jardin, la salle d'attente des urgences où on est sûr d'attendre une demi-journée sans être dérangé. Pour ce qui est des ascenseurs, j'ai pris bonne note, je me méfie désormais ; quand ma femme m'accompagne, j'emprunte l'escalier ; un jour elle a voulu qu'on visite la tour Montparnasse, j'ai refusé. »

« Ce qui nous tue, nous les hommes, c'est le réveil "triomphal". Les femmes croient qu'on a envie d'elles, elles veulent en profiter. J'ai expliqué à ma femme que ce n'était pas du désir mais "la reprogrammation par notre cerveau des circuits neuronaux de la fonction sexuelle au cours de la phase de sommeil paradoxal". Elle n'en a cure. J'ai quand même trouvé la parade : le jogging à 7 heures du mat', prétendument pour améliorer ma tension, un peu élevée. Mais un beau matin, alors que nous étions en train de prendre le petit déjeuner, au retour de mon footing, tout en écoutant les informations, le journaliste fit part des résultats d'une enquête médicale : pour lutter contre l'hypertension rien ne vaut de faire l'amour régulièrement. "Tu vois, chéri, tu ne seras plus obligé de te lever si tôt." »

Et cet homme de conclure : « Les grands incompris du XXIe siècle, c'est nous. »

DE QUELQUES CROYANCES ERRONÉES

Cet homme exprimait la peur des hommes face à la sexualité libérée des femmes, peur de ne pouvoir y faire face, de perdre la face et le prestige et le pouvoir. En réalité, femme et homme pourraient se satisfaire réciproquement et vivre en harmonie si les hommes se libéraient de leurs pratiques machistes et les femmes de préjugés dépassés car fondés sur ces pratiques. Voyons ces préjugés :

La sexualité de l'homme est réduite à son pénis et au plaisir de celui-ci

C'était vrai et ça s'explique : le désir de l'homme s'y manifeste de façon évidente par une érection visible, palpable et vivement ressentie, son plaisir éclate de façon ponctuelle et hyperintense, enfin c'est là que jaillit l'éjaculation. Inévitablement, le pénis a pris une telle importance qu'il est devenu pour les hommes l'emblème de la masculinité : le phallus.

Mais depuis peu apparaissent des hommes nouveaux qui découvrent que, hors du pénis, il existe toutes sortes de bonheurs sensuels, et que leur peau tout entière est source de plaisir. Ils découvrent aussi qu'ils peuvent user de leur pénis autrement que comme d'un bélier balistique destiné à leur procurer un orgasme au plus vite. Ils découvrent enfin qu'ils peuvent contrôler leur éjaculation. Et ils prennent conscience que l'enjeu est également le plaisir de la femme.

La sexualité de l'homme c'est du béton

De fait, il bande pour la moindre raison, une silhouette furtive, un relent de parfum, un fantasme. Il n'arrête pas de bander. Parfois, il ne voudrait pas, ça pourrait se voir ou se sentir (quand il danse un slow ou un tango) ; mais la bandaison est toujours inévitable, increvable.

Pourtant le pénis est vulnérable, sinon fragile, soumis aux aléas de la fatigue et des soucis. Alors si un jour l'homme débande, il entre d'emblée dans une zone de danger ; si ça se prolonge, c'est son statut d'homme qui est en jeu. Ne se sentant plus viril il déprime, se met à boire, ou à se droguer (drogues médicales et autres). Si ça persiste plus encore c'est sa vie même qui est en cause : qu'on se rappelle de Romain Gary et d'Ernest Hemingway qui ont mis fin à leurs jours pour cause d'« impuissance ».

L'homme nouveau, lui, n'en fait pas un drame car il sait qu'il pourra guérir et que, en dehors de son pénis, il est capable d'offrir à son aimée bien d'autres plaisirs.

La sexualité de l'homme est simpliste

Désir impérieux, érection instantanée, pénétration, éjaculation, point final ! C'est vrai que ce schéma des hommes du patriarcat était primitif, mais les hommes de maintenant découvrent toute leur potentialité érotique : ils fourmillent de zones et de points érogènes sur toute la surface de leur peau, sur leur périnée, sur leurs bourses, sur leur pénis, qui comporte une vraie constellation de points exquis, aussi nombreux que ceux de la femme.

La sexualité de l'homme est expéditive et égoïste

Il est vrai que l'homme ancien pratiquait « l'amour coq », il n'avait aucune considération pour sa partenaire, ne lui offrait pas de préliminaires et était trop rapide. Il croyait qu'être viril c'était renier toute sensibilité, toute sensualité, c'était être agressif, c'était prendre la femme pour un objet sexuel.

Les hommes de maintenant ont libéré leur sensibilité, leur sensualité, leur tendresse. Sous l'influence de la femme, ils commencent à se civiliser. Ils considèrent la femme comme leur égale et s'efforcent de combler ses attentes érotiques. Ils pratiquent les préliminaires, bientôt ils se mettront au postlude et à la caresse gratuite.

L'homme n'aime pas les caresses, ni en donner, ni en recevoir

Nous avons déjà analysé les différences entre la femme et l'homme quant aux caresses. On sait que les hommes nouveaux les adorent.

BIOLOGIE SEXUELLE DE L'HOMME, RÉVISION

Avant de passer à la pratique des caresses, il est indispensable de rappeler quelques notions de base concernant la sexualité masculine. Il s'agit en quelque sorte de réviser le code avant de passer à la conduite.

La verge est faite de trois cylindres parallèles constitués de tissu érectile : le corps spongieux en dessous, les deux corps caverneux au-dessus. L'érection correspond au remplissage jusqu'à l'engorgement des éponges vasculaires de ces trois corps. C'est en vérité un phénomène très complexe et tout à fait extraordinaire, pour ne pas dire « miraculeux », qui comprend, entre autres, une chaîne de réactions chimiques instantanées, dont l'adrénaline est antagoniste. En bon français, ça veut dire que la trouille ça fait débander.

La connaissance de la courbe du plaisir des mâles est capitale. Elle comprend une courbe ascendante qui est la phase de plaisir croissant, dite aussi phase d'excitation, un pic qui est l'orgasme, et une courbe descendante dite phase de détente. Le plus important, c'est de savoir que la courbe ascendante d'excitation comporte à l'approche de l'orgasme deux points remarquables :

- **le point d'imminence de l'éjaculation** : tous les muscles qui participent à l'éjaculation se mettent en tension (les vésicules séminales – réservoir de sperme – le canal éjaculateur et la prostate). Si on arrête ici l'excitation, l'ascension vers l'orgasme est stoppée.
- **Le point de non-retour** : ici les dés sont jetés, le réflexe d'éjaculation se déclenchera irréversiblement (contraction des vésicules séminales, des canaux éjaculateurs et de la prostate) : le sperme est expulsé.

Il est possible de stopper volontairement l'envol vers l'orgasme-éjaculation : il faut repérer le point d'imminence et aussitôt arrêter les stimulations que l'homme se donne ou que la femme lui offre. Comment repérer l'imminence, quels en sont les signes ? Pour l'homme lui-même, le signe d'imminence, c'est une sensation aiguë de plaisir à la racine de la verge. Pour la femme, les signes qu'elle peut capter de l'extérieur (tant au cours du coït qu'au cours des caresses digitales ou buccales qu'elle prodigue au pénis) sont : l'accélération et l'amplification des mouvements de l'homme, l'augmentation de sa respiration, l'intensification de ses manifestations vocales de plaisir (mots, onomatopées, cris ou murmures, bien que beaucoup d'hommes aient le plaisir muet), le raidissement et l'immobilisation de son corps. S'y rajoute un regain d'érection et, pour les femmes très observatrices, l'ascension de l'ensemble bourses-testicules.

Maintenant, l'amoureuse bien savante peut passer à la pratique.

CHAPITRE 2

Les marches du château

Ayant comparé le sexe de la femme à un palais, l'équité veut que j'appelle château le sexe de l'homme. Ce sont les alentours de ce château que nous allons apprendre à caresser d'abord. Car les hommes eux non plus n'aiment pas qu'on leur mette d'emblée la main au sexe, qu'on leur saute sur le zizi. À leur tour de craindre de n'être qu'un objet sexuel.

C'est pourquoi, en deçà des marches du château, il faut aussi leur dire et leur montrer qu'on les aime ou qu'on les apprécie, les embrasser et les caresser sur tout le corps. Ces câlins sensuels, en plus du bonheur qu'ils vont leur procurer, vont faire monter leur excitation et embellir leur érection.

Par marches, j'entends les bourses, le périnée et la marge de l'anus.

LES BOURSES

Le terme désigne l'ensemble du contenant et du contenu, à savoir l'enveloppe cutanée, ou scrotum, et les deux testicules. Pour y accéder aisément

303

(l'homme étant couché sur le dos), on (lui ou elle) écartera les cuisses.

Les bourses se présentent alors sous deux formes : ou bien elles sont flasques et étalées sur le devant des cuisses, une partie du scrotum pouvant même s'être insinuée dans l'interstice des cuisses ; ou bien elles sont ramassées, ce qui esthétiquement est plus joli ; c'est ainsi qu'on les figure sur les statues ; et c'est ainsi qu'elles sont plus faciles à caresser. Cette forme ramassée, on la doit à la contraction de deux sortes de muscles : les dartos (à ne pas confondre avec les daltons), qui resserrent le scrotum, et les crémasters, qui remontent les testicules. Notre volonté n'y peut rien, c'est pourquoi il faut avoir infiniment de gratitude envers ces deux formations musculaires. En vérité elles se contractent principalement en deux circonstances : à l'approche de l'éjaculation, quand les secousses du mâle font par trop valser les bourses et leur très précieux contenu ; ou quand il fait froid (c'est pourquoi on place des glaçons sur « les parties » des acteurs porno afin qu'elles soient plus présentables). On sait bien qu'il faut souffrir pour être beau.

Si l'aimée trouve les bourses relâchées et étalées, qu'elle les tire avec une infinie douceur sur le devant de la scène. Ensuite, qu'elles soient étalées ou ramassées, elle se comportera de la même façon. D'abord des compliments, car c'est important pour un homme « d'en avoir », sous-entendu des « couilles ». Certes la « quéquette » c'est important aussi, mais ça n'est jamais qu'un signe extérieur de richesse, ça ne sert qu'au cours des relations sexuelles ou éventuellement dans les douches où les hommes – que ce soit à l'armée ou dans les stades – se révèlent dans leur stupidité primitive. Les bourses, par contre, c'est en permanence que ça sert, c'est ce qui fait l'homme grâce à la testostérone et aux spermatozoïdes. « En avoir ou pas », c'est vraiment la question.

Les compliments continueront alors que les caresses commencent, sans jamais oublier qu'à l'intérieur de l'enveloppe il y a des bijoux très sensibles : effleurements légers avec la pulpe des doigts, en particulier aux endroits les plus sensibles : le sillon entre cuisses et bourses par exemple. L'aimée peut aussi s'amuser à pincer la peau – exclusivement la peau, jugeant ainsi de sa belle élasticité.

Voilà que l'aimée se penche et donne des bécots au scrotum et puis des léchettes, jusque dans l'interstice bourses-cuisses, dont la sensibilité est bien connue ; ce qui décide souvent le scrotum à se faire plus présentable. Est-ce pour le remercier ? Voilà maintenant qu'une idée absolument géniale traverse l'aimée, idée que les femmes ont très rarement et qui pourtant mérite le « César » de la meilleure caresse : lécher de tout le plat de la langue et largement l'ensemble de la peau. Ce que ressent l'homme est plus que délicieux : ça lui procure un profond bien-être, une sorte de bonheur. C'est sûrement physique mais il y a aussi l'émotion de sentir sa masculinité reconnue à un tel point. Sa gratitude envers l'aimée est immense.

Les testicules posent un problème à la femme : elle sait que c'est hypersensible et qu'un mauvais geste peut provoquer une douleur ; pour elle, c'est plus délicat que de marcher sur des œufs, c'est comme marcher sur des bulles de savon. Faut pas exagérer. Ce qu'il faut absolument éviter, c'est presser, mordre, tordre. À l'inverse, il y a un geste tout simple et qui est très agréable : prendre délicatement dans le creux d'une main l'ensemble bourses-testicules, le soutenir en le remontant un peu. La sensation est paradisiaque...

LE PÉRINÉE

Le périnée est l'espace compris entre l'implantation de l'ensemble verge-bourses et la marge de l'anus. Il est sensible à des effleurements, à des baisers et à des léchotements, ce qui demande à l'amoureuse quelques contorsions, et donc beaucoup de souplesse. Mais quand on aime on ne compte pas.

Il existe un point particulièrement sensible, dit **point P** – P comme prostate –, qui se trouve à mi-distance entre bourses et marge anale. L'amoureuse le repérera en palpant franchement et profondément la zone et en guettant les réactions de son aimé. Elle sentira un très léger creux tandis qu'une « imperceptible » réaction de l'homme montre que ça a fait « tilt ». Qu'elle continue donc son massage aujourd'hui et, par la suite, le point deviendra de plus en plus sensible. Le plaisir a la qualité d'une belle jouissance ; il peut aussi survenir un orgasme ; mais c'est plus rare et c'est toujours facultatif.

Le secret de la volupté de ce point ? Il est à la verticale de la prostate, qui donc se trouve à 3 ou 4 centimètres au-dessus. On peut dire que c'est un massage, très indirect, de la prostate. Comme d'habitude, on amplifiera la jouissance en associant quelques taquineries du côté du pénis ou de l'anus.

Une fois de plus, les Orientaux nous ont précédés : voilà des millénaires qu'ils connaissent ce point, c'est le premier chakra, le chakra de base. Ils pratiquaient sa stimulation de diverses manières, et entre autres par l'intermédiaire d'une balle de bois sur laquelle ils s'asseyaient.

L'ANUS

En décrivant la caresse des fesses et particulièrement celle, si exquise, du pli interfessier, nous étions tombés sur l'astre anal. Ici, c'est par la voie du périnée que nous y accéderons. Encore faut-il que l'homme couché sur le dos écarte bien les cuisses. Les doigts féminins y retrouvent les plis radiaires qui m'on fait donner le nom « d'astre » à la zone ; ils les gâtent de chatouilles mignonnes, d'abord sur tous les alentours puis sur l'astre même. Exquises voluptés auxquelles l'homme, d'abord méfiant, finit par céder. Puis un doigt se met à appuyer quelque peu sur les rayons, à les masser en quelque sorte. Un peu de salive facilite les contacts. Bientôt ce doigt ensalivé s'insinue très lentement, très doucement dans le canal. Dès lors, il n'y a aucune nécessité de le bouger, même immobile, il est source d'une volupté particulière qui peut interpeller l'homme.

Mais l'heureux mortel n'a encore rien vu ou plutôt rien senti : voici qu'au prix de contorsions admirables et hautement méritoires, l'amoureuse glisse son visage jusqu'à l'astre. Baisers et léchotes affolent l'homme comme pas possible. Il n'ose même pas gigoter pour ne pas perdre le contact. Il n'ose pas non plus protester qu'il n'est pas homo, il n'a pas de préjugés. Mais quand son amoureuse plante la pointe de sa langue dans l'orifice, il pense que là elle exagère d'oser lui donner tant de plaisir insolite.

À ce stade, je ne peux vous conseiller d'associer des accompagnements – sur le gland par exemple –, car on a vu des hommes mourir de plaisir. Mourir pour rire, mais quand même.

CHAPITRE 3

Les caresses du pénis

Contrairement à la femme, toute de mystère et d'intériorité, l'homme affiche à l'évidence son sexe pour le meilleur – quand il bande – et pour le pire – quand il débande alors qu'il faudrait bander.

Les caresses porteront sur l'ensemble de la verge ou sur chacune de ses parties. Elles seront ou données avec la main, ou bien offertes par la bouche, la fellation étant une sorte de caresse buccale.

Avant même de toucher le pénis, c'est l'adorer qu'il faut, non comme un phallus, symbole de la prétendue supériorité de l'homme et de sa domination sur la femme, et donc emblème de la phallocratie, mais comme principal auteur des plaisirs féminins et représentant de la masculinité, l'autre partie de l'Humanité. L'adorer comme l'homme adore la vulve pour des raisons symétriques. Alors l'amoureuse de le contempler avec admiration, de lui faire des compliments et de s'incliner pour déposer un baiser sur le bout du gland.

Devant ce pénis fièrement dressé (s'il ne l'est pas encore tout à fait, il ne tardera pas à l'être, vu le traitement qu'on va lui appliquer), la main de la femme fourmille, elle n'en peut plus de le saisir, ce qu'elle fait derechef et, aussitôt, elle perçoit dans sa paume la puissance de vie qui anime la verge. Elle est impressionnée, elle en tressaille, ce n'est pas tant la rigidité qui l'émeut que les irradiations, les vibrations, les pulsations, les battements, la chaleur. Elle le tient sans le bouger, attentive à tout ce qui en émane. Sa main en est emplie, et c'est comme si son corps en était rempli. Ça lui fait un peu peur. Il faut dire que le pénis a aussi quelque chose d'une arme brandie et qu'il est, *in fine*, destiné à la pénétrer ; même si c'est avec son accord, pénétrer une chair c'est une agression, et la pire, car on ne pénètre le vivant que pour le tuer. Mais en matière de sexualité, la mort est plaisir : « Tue-moi », dit l'amante en attente d'extase. Aujourd'hui, tandis qu'elle se penche pour parler tout bas au pénis, elle pense qu'il est aussi un pont tendu de désir et jeté par amour, un pont entre elle et lui, entre la femme et l'homme, entre les deux continents.

Sa main se met maintenant en mouvement, elle trouve d'emblée le geste instinctif de « branler ». Le mot est laid, le geste voluptueux. Mais faut bien le faire, avec la bonne pression, la bonne vitesse, la bonne amplitude. Mais comment savoir user d'un sexe qu'on n'a pas ? C'est comme l'homme à l'égard du clitoris, faut de l'intuition dans le creux de la main, de l'attention dans le creux des oreilles.

Faut vouloir faire parfait, surtout ne pas bâcler. L'homme sans doute ne dira rien, mais il n'en pensera pas moins : « Elle ne m'aime pas assez », « elle n'aime pas le sexe », « elle n'aime pas l'homme », « elle n'est pas douée ». Si la femme est persuadée que le principal c'est de s'aimer, elle se « goure ». L'insatisfaction sexuelle peut à la longue déliter l'amour. Aussi il est important, si la femme ne trouve pas le geste juste, que l'homme lui montre comment il fait, lui, quand il se masturbe. S'il ne faut pas discourir et « débriefer » pendant les relations sexuelles, il faut savoir que beaucoup de couples ont fait naufrage faute de parler, faute de petits mots : plus haut, plus bas, plus vite, moins vite, plus fort, moins fort.

Branler, c'est tenir le pénis dans l'anneau formé entre le pouce et l'index, ou le manchon formé entre le pouce et les quatre grands doigts et le faire coulisser à l'intérieur. La pression ? Pas trop serrer, pas tenir mollement (souvent les femmes n'osent pas serrer). L'amplitude ? En bas, descendre jusqu'à mi-hampe, en haut, s'arrêter à mi-gland. La vitesse ? Pas trop rapide, pas trop lente. Réponse de Normand ? Non, voie du milieu.

Si le prépuce est enlevé – c'est la circoncision –, le passage de la main sur le gland le frotte à nu, ce qui peut provoquer de l'irritation. La salive ne suffit pas toujours à améliorer le glissement, alors n'hésitez pas à user d'un lubrifiant, de l'huile d'amande douce par exemple.

Attention aussi à la rupture du frein, d'autant qu'il existe des freins « brefs » ou « courts » : quand votre main descend, elle tire sur le filet qui relie le gland au fût, aussi veillez à ne pas le distendre trop. Une blessure à cet endroit est très douloureuse et peut persister un certain temps.

Le branle peut se donner dans le cadre d'une pure jouissance. Il faut alors veiller, dans la phase d'excitation, à ne pas dépasser le point d'imminence qui précède le point de non-retour au-delà duquel l'élan vers l'éjaculation est irréversible. Vous, l'amoureuse, rappelez-vous les signes d'imminence décrits précédemment et, en particulier, la verge qui se tend encore plus, la respiration de l'aimé et ses mouvements qui s'accélèrent, ses chants qui s'amplifient. Alors immédiatement vous devez cesser de le branler ; puis, une fois le « danger » d'éjaculer passé, vous pourrez reprendre vos mouvements. Quant à l'homme, il sait repérer en lui le signe d'imminence – un plaisir aigu à la base de la verge –, il doit alors vous prévenir d'arrêter votre branle.

Si l'éjaculation était prévue, vous pourrez continuer vos mouvements, et même les accélérer en serrant un peu plus le pénis.

CARESSES ET BAISERS DE LA HAMPE

Le pénis – et il ne faut pas avoir fait sept ans de médecine pour s'en apercevoir – est composé d'un gland et d'une hampe (ou fût). Celle-ci va du sillon sous le gland à la racine implantée dans le périnée.

Bien sûr, la hampe a été bien gâtée au cours du branle, mais on peut encore lui offrir quelques menus plaisirs. Sur sa face inférieure court une sorte de ligne longitudinale reliant le gland à la racine ; c'est là que la peau est sensible aux effleurements de gentils doigts et d'une bouche amie, qui la prenant pour une flûte traversière, fait des allers et des retours sur toute sa longueur, n'engendrant d'autres notes que les chants ravis de l'ami. Si les doigts appuient un peu en profondeur, ils déclencheront des plaisirs plus vifs. Pas étonnant : ils pressent le corps spongieux.

CARESSES ET BAISERS DU GLAND

Le gland a quelque chose d'insolant, surtout lorsqu'il est en érection. Il est là à se tendre sans pudeur et sans demander la permission à qui que ce soit, même pas à son propriétaire, se prenant pour l'obélisque ou la colonne Vendôme. Mais on l'aime bien quand même, avec son allure de grosse cerise joufflue et tentatrice qui nargue la bouche.

En réalité le gland est plus subtil qu'il n'y paraît, et avec lui on va de surprise en surprise tant il possède de facettes miroitantes de volupté. Sa structure même en fait l'organe idéal du plaisir : il est l'expansion de l'extrémité distale du corps spongieux, c'est dire qu'il est fait de pur tissu érectile. Pourtant, s'il est ferme, il n'est pas trop dur, disons qu'il est élastique, aussi ses rencontres avec les tissus féminins sont courtoises. En plus sa muqueuse est truffée de récepteurs sensitifs, y compris de corpuscules de la volupté de Krause : avec le clitoris, il est le seul organe humain qui en possède, quatre mille au total.

Bien qu'il soit fait pour la bouche (nonobstant sa destination originelle : le vagin), les doigts peuvent y jouer de fines et très exquises partitions. Le majeur, toujours lui, ou l'index, mouillé de salive, iront promener leur pulpe sur chacune de ses facettes. Pour le bien caresser il faut qu'il soit en érection ; s'il ne l'était pas, nul n'est parfait, quelques dévoués mouvements de branle l'y mettraient.

Le simple fait de passer un doigt mouillé sur le méat urétral déclenche un vif plaisir chez votre homme. Passez maintenant ce doigt sur toute la surface jouflue, légèrement, lentement. Touchotez, tournez, agacez, c'est la volupté qui manque le moins, comme toujours, spécialement ici, en ce plus haut lieu de sensibilité érotique.

Dirigez maintenant votre majeur vers le rebord du gland, plus saillant que jamais, vu qu'il est tendu de plaisir et gorgé de sève sanguine, de son vrai nom la « couronne », maintenant couronne de feu et de diamants. D'un doigt mouillé et léger comme une araignée d'eau à la surface d'un étang, effleurez-la par petites touches : soubresaut de votre homme, suivi de plusieurs autres. Faites maintenant le tour complet de la couronne, tournez et retournez sur sa crête flamboyante : votre homme se trémousse et geint. Soyez sans pitié et descendez maintenant dans le sillon circulaire qui se trouve sous la couronne, zone étonnante ou la chair est à vif, faites-y glisser une pulpe légère et humide, faites des chatouillis puis des tours et des retours tout autour : frémissements et gémissements redoublés de votre homme. Mais tout cela n'est qu'amuse-gueule.

Car maintenant votre doigt se dirige vers la zone la plus explosive du corps masculin, un véritable détonateur : le frein du gland, un filet tendu entre celui-ci et la hampe. Je ne peux mieux dire en le qualifiant de « clitoris » de l'homme. De votre pulpe, dressée sur sa pointe, vous allez touchoter et agacer cette microzone, infligeant une sorte de torture à votre amoureux. Le malheureux a peine à retenir ses cris et à contenir les agitations de son bassin. Mais ce n'est encore ici que hors d'œuvre.

En effet, quelle que soit l'habileté de vos doigts, vous prenez conscience que, pour de telles caresses d'orfèvrerie, il y a quelque chose de mieux adapté : votre langue. C'est pourquoi vous voici penchée sur votre chéri, posant un baiser sur le sommet rubicond de son gland, baiser qui inaugure une phase encore plus brûlante de votre prestation éblouissante. Là où votre doigt était passé, votre langue repassera. D'abord larges léchages, comme le fait la chatte à ses chatons, puis petites léchettes comme si vous aviez à tailler un diamant, léchettes qui glisseront sur toutes les sublimes facettes : la couronne, le sillon circulaire en contrebas, le frein. La pointe taquine, agace, tourmente, lancine, ciselle, incise, tisonne, brûle, enflamme, c'est un plaisir-douleur. Regardez votre amoureux, il ne sait plus que faire, il se débat, il geint, il supplie d'arrêter, mais si vous le faisiez, il vous implorerait de continuer. Car c'est un vrai supplice et un suprême délice. On est ici en plein festin, fait de lumière et de feu.

Tout en protestant, votre homme bénit le jour où il vous a rencontrée. Il ignorait qu'il pouvait connaître le paradis sur terre et que c'était une femme qui lui en ouvrirait la porte. Il hurle qu'il vous aime, qu'il vous aimera éternellement, qu'il vous comblera à son tour de plaisir, qu'il vous offrira tout ce dont vous rêvez, y compris la Lune.

Oui, c'est ainsi, au-delà d'une certaine limite, on confond le plaisir et l'amour. On croit aimer quand on jouit si fort. C'est à ça que servent les endorphines et l'ocytocine. Rien de démystifiant ou de réducteur dans mes propos : pour nous humains, l'échelle vers le (septième) ciel ne peut qu'être d'abord de matière.

CARESSES DE LA BASE DU PÉNIS

Revenons sur terre, et plus précisément à la base du pénis, à l'endroit où il s'enracine dans le périnée. Là, sur la face inférieure, se trouvent deux points intéressants, le point A et le point B :

- Le **point A** se situe juste avant l'implantation de la verge. Si avec la pulpe du majeur soutenu par l'index, vous appuyez assez fortement en roulant, vous déclenchez une sensation agréable et un regain d'érection. Ce qui n'est pas étonnant puisqu'on se trouve sur le corps spongieux.
- Le **point B**, lui, se situe un peu plus en arrière, à l'ancrage du corps spongieux, dans le périnée. Les mêmes caresses produiront les mêmes effets.

L'intérêt de la stimulation de ces deux points, c'est de relancer une érection vacillante.

CHAPITRE 4

La fellation : reine des caresses

C'est la reine des caresses car c'est celle qui, à part le coït, procure le maximum de plaisir. C'est l'équivalent du « cunni » pour la femme, à la différence que celle-ci, en raison de l'intériorité de son sexe, ne la pratique qu'avec un élu, alors que l'homme, du fait que le sien s'affiche à l'extérieur, se sent moins impliqué. D'autant que la charge libidinale de son pénis peut atteindre une pression insupportable. En plus, on minore la portée de l'acte chez l'homme en en faisant une « gâterie » ou une vulgaire aspersion de sperme.

Comme on l'a souvent dit, « en amour il n'y a pas de péché, il n'y a que des fautes de goût ». Replaçons donc la fellation dans l'art érotique. C'est d'autant plus nécessaire que nombre d'hommes se plaignent que les femmes ne leur en offrent pas assez souvent et que les « bonnes suceuses (sic) ne courent pas les rues », ce qui est une façon de parler pour dire qu'elles sont rares. Rappelons que fellation vient du latin *fellare*, qui signifie « téter », et non sucer.

Les appellations populaires de cette pratique n'ont hélas rien de poétique. C'est pourquoi j'ai été ravi, afin d'en réhabiliter certaines, d'apprendre que « pipe » vient de « pipeau » une sorte de fivre, et que « faire turlutte » vient de « turlurette », une espèce de flûte à bec.

VIEILLE COMME LE MONDE

C'est une caresse vieille comme l'Humanité. Déjà sur des graffitis rupestres figurent des scènes de fellation. En ce qui concerne l'Histoire, on cite Cléopâtre comme la grande prêtresse de cette caresse phallique. Puis la grande nuit érotique s'abat sur l'Occident. L'Église, par la voix d'un de ses Pères, déclare à propos de la fellation qu'il s'agit d'un « attouchement diabolique qui soumet l'homme à la femme par le plaisir » ; de toute façon, elle la classe dans les agissements « contre nature », c'est-à-dire non susceptibles de reproduire des petits chrétiens. Bref, c'est un « péché mortel », puni de sept ans de « pain sec et d'eau » les « jours saints » (190 jours par an) et, dans l'au-delà, du purgatoire. Autant vous prévenir, je n'aimerais pas être responsable de votre passage en ce lieu, bien que nous aurions le bonheur de nous y rencontrer.

Jusqu'à une date récente, dans certains états des États-Unis, la fellation était un délit passible de prison, même pratiquée au sein d'un couple officiel et dans un lieu privé. Ce qui n'empêcha pas tellement sa pratique puisque l'enquête de Kinsey, de 1948, révéla, au grand scandale des États-Unis, que 60 %

des Américains et 50 % des Américaines « s'adonnaient » à la fellation.

En France, l'Enquête C.S.F. de l'Inserm, de mars 2007, montre que cette figure érotique connaît « une diffusion spectaculaire ». En effet, alors que dans l'enquête A.C.S.F., de 1992, 52 % des femmes (de 55 à 69 ans) en usaient, dans l'Enquête C.S.F. de 2007, le pourcentage est de 71 %. Voilà au moins un secteur en expansion en France.

POURQUOI EST-CE SI BON ?

C'est la rencontre parfaite entre la bouche et le gland, qui sont bien faits l'un pour l'autre. Le gland ne pouvait, à part le vagin, rêver mieux : comme ce dernier, la bouche est recouverte d'une muqueuse douce, lisse, chaude, humide à souhait (les glandes salivaires) et enveloppant complètement son invité. Mais mieux que le vagin, elle est capable de toutes sortes de mouvements subtils, car elle est constituée de plusieurs parties – les lèvres, la langue, les joues – et animée de nombreux muscles fins et habiles (dont je vous épargnerai la liste) : elle peut bécoter, appréhender, absorber, serrer, aspirer, sucer, lécher, malaxer, mâchouiller, mordiller. Elle peut donc offrir à la très grande sensibilité du gland, et en particulier à ses capteurs de volupté, les stimulations les meilleures qui soient.

Quant au gland, il constitue pour la bouche une surface agréable, lisse et chaude, et un volume et une configuration qui lui conviennent parfaitement, qu'elle pourra goûter et déguster.

Voyons maintenant ce qu'en pensent les uns et les autres. Je parlerai des hommes d'abord car ce sont eux qui, au mot « fellation », se mettent à frétiller.

LES HOMMES ET LA FELLATION

Quand on demande aux hommes pourquoi ils en raffolent, ils affirment :

- Que c'est ce qui leur donne le plus de plaisir, voire jusqu'à l'orgasme : « c'est super, c'est le top ».
- Qu'ils considèrent que c'est, de la part de leur femme, une preuve d'amour. Ce qui est curieux car c'est un geste qui se pratique couramment sans amour ; mais sans doute que, quand il est donné par une personne que l'homme aime et respecte, il prend une autre dimension, surtout si en plus c'est une femme qui n'aime pas donner de fellation.
- Que ça valorise leur pénis et les renforce narcissiquement dans leur virilité.

Toutefois, sur ce fond d'enthousiasme, on trouve aussi des hommes qui montrent une certaine réticence. Les mâles sont plus pudiques qu'on ne le pense et aussi plus vulnérables. Beaucoup sont marqués par une blessure d'enfance qui altère leur confiance en eux, or la fellation va amener leur sexe, et de façon prolongée, au plus près des yeux, du nez et de la bouche de la femme. Ce qu'ils craignent c'est :

- D'avoir un sexe pas beau, pas conforme. « Complexe » que l'amour et l'intelligence de la femme atténueront, ou réalité – hypospadias, maladie de Lapeyronie, etc. – que l'intervention d'un urologue corrigera.

- D'avoir un sexe trop petit. Faut-il ici rappeler que c'est la façon de s'en servir qui compte : il vaut mieux « un petit qui frétille qu'un gros qui roupille ». Que 90 % des hommes se situent dans la fourchette 13-18 centimètres et que leurs femmes en sont satisfaites. Que c'est seulement en dessous de 8 cm qu'il peut y avoir un problème. Qu'au repos un pénis peut être modeste et en érection rattraper son retard. Que le diamètre est aussi important que la longueur. Qu'en plaçant un anneau Cockring à la base de la verge on lui donne plus d'ampleur. Que le vagin n'a que de 7 à 8 centimètres de profondeur. Que les femmes peuvent faire des exercices de Kegel pour améliorer la « congruence » entre leur vagin et le pénis (le muscle du bonheur, le pubo-coccygien, rendu plus tonique, cravate mieux la base du pénis).

Ah oui, j'oubliais la référence absolue : le pénis des acteurs de porno. Sachez qu'il s'agit d'anomalies de la nature qui causeraient des douleurs à la plupart des femmes. Et qu'en plus il y a tricherie puisque ces malheureux subissent des injections dans leur verge (piqûres intracaverneuses de produits vasodilatateurs).

- D'avoir une éjaculation trop rapide qui abrégerait la fête. Ce qui peut s'améliorer par la maîtrise de l'éjaculation que je décrirai dans la partie « La caresse intérieure ou la sublime caresse ».
- D'avoir une érection insuffisante ou qui retombe trop vite. Solution : la maîtrise de l'éjaculation car

elle améliore l'érection, et l'utilisation d'un anneau Cockring.

- De sentir mauvais. Solution : hygiène parfaite, surtout si on a un prépuce, élimination dans sa nourriture de l'ail, des asperges et des abats.
- D'avoir un sperme qui a mauvais goût. Solution : rester dans la jouissance sans passer à l'éjaculation, élimination des mêmes mets, utilisation *per os* d'élixirs citronnés qui donnent bon goût au sperme (en vente dans les bonnes pharmacies…).
- D'être blessé par les dents de l'amoureuse. Il est vrai que les incisives (ou les appareils dentaires) peuvent causer involontairement des blessures au gland, dont les muqueuses sont fragiles et sensibles. Une petite griffure et la fête est gâchée. Solution : que l'amoureuse recouvre ses incisives de ses lèvres et qu'elle prenne garde quant à ses prothèses, si celles-ci sont amovibles il est préférable que l'amoureuse les enlève (mais qu'elle évite de les enlever ostensiblement avant et de les déposer sur la table de nuit, même si c'est dans un verre d'eau qui fait des bulles), ça peut couper le désir de l'homme. C'est pour vous épargner ces scènes délicates que je conseille les implants. De même le contact avec les gencives nues : s'il peut être agréable au gland, aussi nu qu'elles, il peut aussi refroidir le désir. Bref, pour une femme, un bon dentiste est aussi important qu'un bon amant.

À ces peurs bien naturelles d'être blessé s'ajoutent chez l'homme des résurgences inconscientes de sa peur infantile de la castration, du temps où il prenait son père pour un rival. Peut s'ajouter aussi la lecture, dans le journal, d'un fait divers rapportant comment une femme jalouse ou vengeresse a sectionné d'un coup de dents l'attribut d'un homme.

LES FEMMES ET LA FELLATION

Quand on demande aux femmes si elles aiment la fellation, on découvre qu'il en est de trois sortes :

- Les femmes qui en raffolent : elles aiment incorporer l'emblème de la masculinité, l'incarnation de l'homme ; elles aiment l'organe mâle qu'elles trouvent superbe, fier, magique et appétissant ; elles ont un véritable appétit pour lui.
- Les femmes réservées mais non hostiles. Elles pratiquent la fellation par amour, pour faire plaisir.
- Les femmes qui détestent jusqu'à en être écœurées. Ce qu'elles reprochent au pénis ? a) D'être sale et malodorant, ce qui peut se traiter facilement par une hygiène parfaite, en particulier pour ceux qui ne sont pas circoncis ; b) D'être comme une arme brandie, agressive ; c) D'être trop gros par rapport à leur bouche et de les étouffer ; d) D'être trop long et en plus de les étouffer, de leur donner des haut-le-cœur, des nausées ; e) De pénétrer trop profondément et de leur causer les mêmes malaises ; f) D'éjaculer en elle sans permission (en ce qui concerne les quatre derniers points, nous verrons dans l'art de la fellation comment y remédier) ; g) De chercher à être encore l'agent de leur soumission, de leur humiliation.

En ce qui concerne ce dernier point, si la femme perçoit véritablement une attitude misogyne et dominatrice, ou pis, une attitude perverse chez l'homme, elle doit refuser la fellation. Mais je lui souhaite de rencontrer un de ces nouveaux hommes qui reconnaissent l'égalité entre eux et la femme, qui pratiquent eux-mêmes le cunni et adorent la vulve. Ainsi fellation et cunnilinctus ne sont que des échanges de bons procédés et des adorations réciproques.

De toute façon l'attitude de l'homme doit être de respect et de tendresse. Il ne doit jamais imposer l'acte à son aimée, il ne doit jamais faire de chantage plus ou moins direct – « si tu m'aimais tu le ferais », « si tu ne veux pas, c'est que tu ne m'aimes pas ». Or on peut aimer l'homme mais pas aimer le geste ou le sperme. Et inversement ne pas aimer l'homme et lui faire une fellation. En tout cas, que l'homme s'abstienne de goujaterie et de menace à peine voilée : « mon ancienne copine c'est une championne ».

Mais il peut s'efforcer d'apprivoiser son aimée. Déjà en l'aimant et en la comprenant comme elle le souhaite, il favorise leur intimité ; une femme qui se sent aimée et comprise est prête à faire plaisir à son amoureux. Il fera en sorte, au cours de leurs jeux érotiques, que bouche et verge s'approchent : un jour il suggérera un simple baiser, un autre jour une bonne léchette. Et un beau jour, dans une séquence sensuelle particulièrement brûlante, aidé d'une coupe de champagne, il lui demandera de le prendre en bouche. Ce jour-là, il veillera à être tout à fait *moderato cantabile* : tendre, joueur, prudent, c'est-à-dire pas trop profond, pas trop longtemps, et surtout pas d'éjaculation.

Nota bene : bien entendu, les femmes qui ont un nouveau partenaire au passé plus ou moins inconnu prendront toutes leurs précautions envers les I.S.T. (infections sexuellement transmissibles) : recouvrir le pénis d'un préservatif, faire dépister le sida par un test sanguin.

CHAPITRE 5

L'art de la fellation

La fellation est aussi une relation dans laquelle chacun doit tenir compte de l'autre, de ses souhaits, de ses peurs. Elle doit se dérouler dans la confiance, dans l'harmonie, c'est-à-dire sans conflit. Pour cela, il est nécessaire que la femme exprime auparavant et nettement ce qu'elle veut et ne veut pas et que l'homme s'engage à respecter absolument ses décisions. S'il y a trahison de l'homme, la femme en sera plus qu'irritée, écœurée, et elle refusera désormais cet échange de caresses.

LES OPTIONS DE LA FEMME

« Je ne veux pas d'éjaculation, ni dans ma bouche, ni dehors. »

L'homme devra donc veiller à ne pas éjaculer, en tenant compte des signes d'imminence de l'éjaculation qu'il ressent et que j'ai décrits précédemment (pour rappel : un plaisir aigu à la base de sa verge) ; il en préviendra son amoureuse – un signe ou un mot convenus – et retirera son pénis de la bouche. La femme, qui, elle, connaît les signes extérieurs d'imminence de l'éjaculation décrits précédemment, cessera ses succions et extraira le pénis de sa bouche (pour rappel, l'imminence est décelable au durcissement renforcé de la verge, au crescendo des manifestations de plaisir de l'homme et à l'ascension de l'ensemble bourses-testicules). De cette façon on reste dans la jouissance, l'orgasme étant exclu. En effet, une fois le « danger » d'éjaculation passé, les amoureux peuvent reprendre la fellation, etc. C'est une forme de « stop and go ». Le jeu érotique se suffit à lui-même et il n'a pas de limites. C'est le choix d'agrandir et de raffiner le plaisir des sens, de le savourer sans l'épuiser. Ainsi le taux des substances du plaisir n'explose pas mais reste à un niveau constant et juste bien ; l'ocytocine et la dopamine, en particulier.

« J'opte pour l'éjaculation, mais hors de ma bouche. »

Elle n'aime pas le goût et la texture du sperme – les goûts et les couleurs ça ne se discutent pas, on le sait. Elle choisira le lieu de retombée du sperme : soit à distance de son corps, soit sur son corps. Beaucoup de femmes aiment en recevoir sur les seins et s'en enduire. Rares sont celles qui l'acceptent sur le visage ; aucune ne tolère d'en avoir dans les cheveux.

Comme dans l'option précédente, l'homme devra repérer les signes d'imminence, prévenir sa compagne et retirer à temps sa verge de la bouche. La femme elle aussi repère les signes d'imminence et sort le pénis de sa bouche. Mais il ne faut pas laisser celui-ci dans le vide, il faut le prendre en main et se mettre à le branler jusqu'à l'éjaculation, ce qui peut être fait par la femme ou l'homme lui-même.

**« Je choisis l'éjaculation dans ma bouche,
mais je n'avale pas le sperme. »**

Certaines femmes aiment aller jusqu'à l'éjaculation, elles aiment cette communion avec l'homme, cette incorporation totale, elles aiment sentir ce qui se passe dans la verge au moment de l'éjaculation : cette tension, ces vibrations, ces spasmes, signes de vie intense dans le membre viril. Elles aiment aussi le sperme, mais pas assez pour l'avaler. Elles vont donc le recracher, mais avec discrétion, sans dégoût marqué.

**« Je choisis l'éjaculation dans ma bouche
et j'avale le sperme. »**

C'est leur choix, mais si ce choix comportait des raisons diététiques – richesse du sperme en protéines et oligoéléments –, je suis obligé de leur dire qu'un bœuf Marengo fait aussi bien l'affaire.

RESTER MAÎTRESSE DU JEU

Il est important que la femme contrôle toujours la situation. Pour cela, elle prendra des précautions :

- Elle n'acceptera que les positions où elle est au-dessus de l'homme. Si elle est en dessous, l'homme aura plus tendance à la bloquer et à agir comme dans un coït, or ce n'est pas un coït.
- Elle refusera que l'homme lui tienne la tête ou la prenne par les cheveux.
- Elle mettra une main en anneau (le pouce et l'index réunis) à la base du pénis. Ce qui lui permettra d'extraire celui-ci dès l'apparition des signes

d'imminence (si elle n'accepte pas l'éjaculation dans sa bouche) et de contrôler la profondeur des mouvements péniens. Déjà, l'interposition de l'anneau réduit la profondeur de pénétration, mais si l'homme tente d'aller plus loin, la femme pourra soit mettre tous ses doigts en anneau, soit dévier le gland et le placer entre une joue et les dents.

L'ART DE LA FELLATION

L'homme non plus n'aime pas qu'on lui saute directement sur le sexe, que ce soit avec les mains ou avec la bouche. L'amoureuse lui témoignera d'abord son amour, caressera l'ensemble de son corps, jouera sur les marches du château. Puis, en abordant le pénis, elle commencera par l'adorer, le complimenter, non pas, ainsi que je l'ai déjà dit, comme un phallus signe d'une prétendue supériorité et emblème de domination, mais comme un pont tendu entre elle et lui, comme l'auteur de ses plaisirs et comme le représentant d'un sexe qu'elle n'a pas mais qu'elle aime. Elle adore le pénis comme l'homme nouveau adore la vulve.

Toutes les positions sont « techniquement » possibles. Mais pour le confort de la femme et sa maîtrise des événements, il est préférable qu'elle soit toujours en position supérieure, c'est-à-dire au-dessus de l'homme allongé sur le dos. Elle se placera soit sur le côté, soit entre ses jambes, soit tête-bêche. La position femme à genoux aux pieds de l'homme debout me paraît humiliante, juste bonne aux fellations expéditives entre deux portes.

La fellation se pratique sur un pénis en érection ; il l'est nécessairement puisqu'il n'est jamais pris à froid, mais au contraire honoré préalablement de tous les baisers et les caresses que j'ai décrits préalablement, en particulier à l'égard du gland.

Le moment venu, les lèvres se posent sur ce dernier, les lèvres qu'un coup de langue a rendues humides à souhait. Elles lui donnent un long baiser tout en lui disant qu'elles l'aiment et qu'elles s'apprêtent à lui donner de mirifiques voluptés. Puis elles se promènent dessus de droite à gauche et de gauche à droite, comme si le gland était un bâton de rouge à lèvres. Le pénis en a des frissons dans le dos (c'est une expression) car il se sent à la veille (c'est encore une expression) d'un grand événement.

Et c'est l'introduction ! Et s'il y avait une musique écrite pour la fellation, ce dont je rêve, il y aurait ici un *crescendo* de cuivres suivi d'un grand coup de cymbales, puis d'un silence. La reprise serait faite par les violons. L'amoureuse entrouvre ses lèvres mais laisse encore ses dents fermées, le gland se trouve dans le petit tunnel que forment les deux lèvres resserrées sur lui. C'est doux, c'est lisse, c'est humide, c'est chaud.

L'aimée s'enhardit et, en se penchant un peu plus, fait glisser le gland entre ses joues et ses molaires. Bien que les joues soient extensibles l'espace est réduit et le coulissement un peu bridé, mais chacun se réjouit des sensations exceptionnelles qu'il ressent et qu'il offre.

Et c'est la seconde introduction : l'aimante écarte ses incisives et fait entrer le gland entre langue et palais.

Et la musique de saluer ce deuxième temps fort, de façon non plus triomphale mais fervente, violoncelles et bassons. On est maintenant dans un registre grave, une des façons extrêmes qu'ont la femme et l'homme d'être intimes. Ce qui n'empêche l'amoureuse de se régaler : le gland, elle le tète, l'aspire, le suce avec délectation ; elle fait coulisser sa bouche sur lui, de haut en bas et de bas en haut, comme elle ferait d'une sucette ou d'un bâton de crème glacée. Elle prend garde à ce que ses dents ne le blessent pas.

Voici que l'aimante se penche encore et introduit un peu plus profondément le pénis dans sa bouche. Maintenant, c'est le gland plus une partie de la hampe qui se trouvent entre langue et palais et bénéficient des mêmes joies. L'amoureuse se régale, l'amoureux est au ciel.

Peut-elle enfoncer plus profondément le pénis, jusqu'à contacter le voile du palais et la luette ? C'est ici que vont apparaître chez elle les désagréments : des étouffements et des nausées, qui signifient que le pénis a été un pas trop loin et qu'il faut le ramener quelque peu en arrière. Signalons, pour information, qu'il existe quelques femmes qui arrivent à contenir leur étouffement et leur réflexe de nausée et réussissent à introduire le gland au-delà du voile du palais, jusque dans l'oropharynx, c'est ce qu'on appelle faire des « gorges profondes ». On est là, selon moi, dans la performance, et non plus dans la perfection érotique.

La maîtrise par la femme de la profondeur de pénétration du pénis est essentielle pour que cette caresse reste agréable pour elle ; elle lui est assurée :

- Par sa position au-dessus de l'homme,
- Par sa main posée en anneau à la base du pénis et qui fait butée (anneau formé par le pouce et l'index, voire par les quatre doigts).

De son côté, l'homme nouveau sait qu'il doit rester immobile, que ce n'est pas à lui d'enfoncer sa verge, car ce n'est pas un coït. De toute façon les femmes n'admettent plus d'être dominées, abaissées, souillées, en un mot d'être l'esclave sexuelle d'hommes en désir et de se plier à leur assouvissement.

DES PLUS DE LA PART DE LA FEMME

Petit plus : prendre dans la main libre les testicules, les rassembler dans la paume procure à l'homme une sensation très agréable. Grands plus : ajouter des accompagnements en stimulant d'autres zones érogènes : caresses en divers lieux du corps, caresses de la marge de l'anus, etc. Très très grand plus : c'est un geste qui va décupler le plaisir de l'homme et auquel peu de femmes pensent : associer, à la prestation de la bouche sur le gland et sur une partie de la hampe, un branle de la main disposée en anneau à la base de cette hampe. Cette main, dont le rôle est avant tout sécuritaire, devient alors la cocréatrice du plaisir de l'homme, plaisir qui devient inouï.

De fait, l'association de deux stimulations majeures sur l'organe majeur de la volupté a de quoi faire perdre la tête à l'aimé. Car sublimes sont les sensations.

DES QUESTIONS

Les cours de fellation ne figurant pas encore dans les manuels de « science du vivant », il me faut répondre aux questions que sûrement vous vous posez. En ce qui concerne le rythme : commencez doucement puis accélérez, mais sans aller trop vite, sans vous déchaîner. La pression de votre bouche sur le pénis ? Elle ne doit pas provoquer de désagrément et encore moins de douleurs. L'aspiration ? *Idem*. C'est à vous à être attentive aux réactions de votre homme, d'être à son écoute, de mettre toute votre intuition dans votre bouche. Alternez, nuancez, modulez tous les paramètres. Veillez aussi à ce qu'il y ait assez de salive. Et mettez-y tout votre cœur, c'est comme ça que vous serez virtuose.

L'HEURE DU CONTRAT

Irrésistiblement, le désir d'éjaculer va devenir aigu chez l'homme. C'est alors qu'il faudra appliquer le contrat préalablement passé :

Pas d'éjaculation. On demeure dans la jouissance du « *stop and go* », en étant chacun – elle et lui – attentifs aux signes d'imminence, elle, afin de suspendre ses mouvements et, s'il le faut, sortir le pénis, lui pour tenter de se maîtriser et, s'il n'y arrive pas, pour extraire son pénis.

Une éjaculation à l'extérieur de la bouche. Dès les signes d'imminence, le pénis est sorti de la bouche à la fois par la femme et par l'homme. Mais pour ne pas faire rater son orgasme à l'homme – ce qui lui est très pénible –, l'homme ou la femme relayeront l'action de la bouche en saisissant le pénis et en le branlant. Branle qui cessera à la fin de l'éjaculation car ensuite le pénis est hypersensible. Toutefois il est conseillé à l'amoureuse de maintenir le pénis dans sa main, car c'est un grand sentimental qui redoute l'abandon.

Une éjaculation dans la bouche mais sans déglutition du sperme. À partir du moment où l'amoureuse perçoit les signes d'imminence, elle accélère et intensifie ses mouvements dans un *crescendo* éblouissant. Mais ici aussi, l'éjaculation achevée, elle les cessera, tout en conservant le pénis bien au chaud dans sa bouche.

L'éjaculation se produit et l'amoureuse avale le sperme. Et chacun d'exulter.

CONSEILS D'HOMMES

Quelques remarques d'hommes vont aider les amoureuses à bien faire : faut pas trop vite, faut pas serrer trop fort, faut pas de pompage rapide et énergique, c'est-à-dire expéditif, faut pas de geste stéréotypé, pas de geste mécanique, inversement, faut de la douceur, de la subtilité, de l'inventivité, faut qu'on la sente attentionnée, faut qu'on sente qu'elle aime ça, qu'elle aime le pénis, qu'elle en est gourmande.

Il serait donc bon que les hommes guident la femme pendant la « belle caresse ».

UN JEU ET UN RITUEL

La fellation peut être complètement ludique et je vous laisse imaginer les jeux auxquels elle se prête. Je vous suggère seulement de vous amuser à bander les yeux soit de la femme, soit de l'homme, soit des deux. L'intérêt, c'est d'obliger les aimants à se concentrer sur leurs sensations, ce qui en augmente la perception.

Mais pourquoi ne pas aussi faire de la fellation, sinon une cérémonie, un rituel ? Musique, encens, bougies, fleurs, draps de satin. Et l'aimée en robe de soirée, parfumée, parée de ses plus beaux bijoux. À ce sujet, qu'elle prenne garde toutefois aux bagues, qui peuvent blesser le gland, aux colliers, qui peuvent s'enrouler autour de celui-ci, aux boucles d'oreilles pendantes qui risquent de marquer le tempo sur la hampe ou sur les bourses.

PARTIE XI

LA CARESSE INTÉRIEURE
OU LA SUBLIME CARESSE

CHAPITRE 1

La scène

Les soirs d'été, le soleil n'en finit pas de se coucher, il nous quitte à regret. Maintenant que la dernière parcelle de son disque vient de disparaître derrière la colline, il fait encore clair mais la lumière a pris un ton orangé, ainsi que le ciel tout entier et les nuages aussi, ceux qui s'effilochent au plus haut des cieux et ceux en bouffées qui sortent de la pipe de Dieu.

Les cheveux de l'aimée ruissellent son or sur l'oreiller de soie. L'aimant, lui, contemple son visage et, par instants, se laisse couler dans l'océan de ses yeux. « Comme je t'aime, souffle-t-il, je t'aimais avant de te connaître, je t'aimais avant de naître, je t'aime de toute éternité. » Il est à genoux entre les cuisses de l'aimée. En les ouvrant, elle a fendu son corps jusqu'en sa profondeur. Lui, il est loin en elle, aux confins de son ventre. Elle, elle l'accueille, l'aspire, le niche en son centre. Elle aussi le contemple et le recouvre de vagues bleues.

Maintenant la lumière s'est faite violine. Des lampes s'allument dans la campagne, où la nuit s'est répandue. Des chiens aboient, une vache meugle, une voiture passe, illuminant d'un bref faisceau le plafond de la chambre. Bientôt la lune se débusque des nuages et rend plus blonds les cheveux de l'aimée.

Alors l'amoureux reprend ses mouvements, sa verge tendue se retend un peu plus. Elle va, elle vient. Elle va au plus profond lever des plaisirs qui s'envolent et traversent à tire-d'aile le corps de la femme, y laissant des traînées scintillantes. Elle revient en surface, là près de l'entrée, semble s'arrêter, mais un puissant coup de reins la projette à nouveau dans les profondeurs féminines. Tout le corps de la femme tressaille, ses seins tremblent, sa bouche expire quelques notes ferventes. La verge revient, la verge replonge, mais sans jamais d'automatisme, glissant devant, frappant derrière, léchant les côtés. Chaque mouvement est inventé. L'homme est le musicien, sa verge l'archer, la femme tout à la fois le violon et la musique.

Elle, elle joue de son corps, faisant de leur union une danse, une sorte de tango. Elle le balance d'arrière en avant et d'avant en arrière, elle tend son bassin à la rencontre de l'homme, projette sa vulve grande ouverte et carminée de sang jusqu'à heurter le pubis de l'aimant, afin de sentir en son plus profond le gland tamponner son col. Alors l'excitation de l'aimé est telle qu'il ressent un vif plaisir à la racine de sa verge : c'est le signe que l'éjaculation est imminente. Il arrête aussitôt ses mouvements et l'aimante également.

Ayant suspendu leurs mouvements, les aimants se contemplent à nouveau. Ils n'avaient cessé de se regarder, de se brûler des yeux, de faire l'amour avec les yeux. Maintenant leurs regards se posent. Lui, il voudrait poser le sien dans celui de son aimée, mais il n'est plus là, mais il vogue ailleurs, il plane au-delà de l'aimant. Le regard des femmes en amour se pose sur un monde où l'homme tente en vain d'aller. Alors il reste sur chair les arômes exhalés du corps de la belle. De ses aisselles, des odeurs de pain grillé tissées d'odeur de foin, de son pubis, de fauves effluves entrelacés de senteurs de cannelle. Dans le grand cèdre, la dame blanche hulule. Des chauves-souris criaillent en s'élançant du toit.

Il porte son regard sur les seins de son amie ; sur le globe que blanchit la lune, les aréoles empourprées étalent leurs pétales de velours. Il prend les seins à pleines mains, les tâte, les presse, faisant saillir les tétons en érection, se penche pour les sucer. C'est alors qu'elle se plaint de plaisir et revient sur terre.

Voici qu'ils reprennent leur danse, le vagin et le pénis leurs jeux. À l'instant la verge taquine les premiers centimètres du fourreau de quelques *pizzicati*, l'instant d'après elle va s'ébattre à mi-chemin, pour revenir à l'entrée, et de là, soudain, avec la rapidité de l'éclair, fondre dans la nuit noire du dôme vaginal et tamponner le col utérin, ébranlant les viscères et arrachant un cri de volupté à l'aimée. Et son corps de faire des sauts de carpe. L'excitation de l'aimant est à nouveau au zénith, aussi sent-il à la racine de sa verge les signes d'imminence. Ils s'arrêtent. Dans ce nouvel interlude, ils ne savent plus qui est elle, qui est lui. Torrides, les plaisirs ont fait fondre leurs corps, dont les laves se sont fusionnées. Au creux de ce cratère, leurs sexes se sont répandus et mêlés. Peu à peu le bouillonnement s'apaise. Une brise venue de la nuit passe sur eux ; sa fraîcheur aide leurs corps à reprendre leur forme. Alors, d'un doigt, l'aimant suit les contours du visage de son aimante, effleure ses lèvres, ses sourcils, l'arête de son nez, en égrenant compliments et mots d'amour. D'une main et des deux, il va remodeler les pleins et les déliés du corps adoré. Elle, en même temps ou avant ou après, de ses mains ou d'une seule, caresse les épaules de l'homme à ce moment penché sur elle, griffe ses bras, enserre sa taille. Tout ce qui de l'homme est accessible est lissé, griffé, tapoté, pincé, aspiré, mordillé. La caresse intérieure, c'est la multiplication des caresses extérieures.

Ainsi, sexe dans sexe, ils parcourent la nuit, tour à tour en mouvement ou immobiles, portés par l'amour, transportés d'ivresse. Ils voguent, secoués par les vagues du plaisir, soulevés par des déferlantes de volupté.

CHAPITRE 2

L'art de la caresse intérieure

Dans le premier *Traité des caresses*, j'ai appelé « caresse intérieure » l'union des sexes de la femme et de l'homme ; il s'agissait de rester jusqu'au bout dans le thème de la caresse. Il est vrai que l'on peut considérer l'acte sexuel comme la caresse que le pénis donne au vagin et le vagin au pénis. En vérité, c'était plus qu'une façon de parler, c'était une façon radicalement différente de faire l'amour.

J'avais eu la chance de découvrir, quand j'avais une vingtaine d'années, le livre du docteur Chanson. Sans même connaître la méthode Carezza, ni le tantrisme dont s'était inspiré mon confrère, j'avais fait de « l'étreinte réservée » plus qu'une méthode de contraception : un art d'aimer.

LA MAÎTRISE DE L'ÉJACULATION

L'art de la « caresse intérieure » suppose que l'on possède parfaitement la maîtrise de l'éjaculation, et donc que l'on connaisse la courbe du plaisir chez l'homme, et précisément sur la courbe du plaisir ascendant l'existence de deux points capitaux (voir, schéma page suivante) :

Le point d'imminence : à ce moment, le plaisir atteint un niveau très haut et précède de peu l'éjaculation. Il correspond à la mise en tension des muscles des organes qui vont participer à l'expulsion du sperme : les vésicules séminales, le canal éjaculateur, la prostate et l'urètre prostatique. L'homme ressent ce branle-bas de combat comme un plaisir aigu qui survient dans son périnée, à la base d'implantation de sa verge. Ici, il peut agir pour stopper l'évolution vers l'éjaculation – voir, encadré.

Le point d'éjaculation ou de non-retour : les muscles des organes cités ci-dessus se contractent, expulsant le sperme : c'est l'éjaculation et son plaisir majeur, l'orgasme. Dès qu'elle est enclenchée, l'éjaculation est irréversible, même si on vous mettait un revolver sur la tempe. C'est pourquoi il n'est pas exact de parler de maîtrise de l'éjaculation, on devrait dire « prévention ».

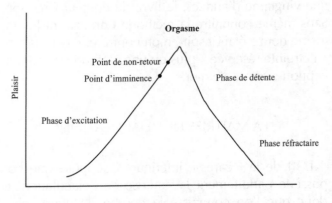

Points de repères

PROTOCOLE DE MAÎTRISE DE L'ÉJACULATION

Suspendez vos mouvements dès que vous percevez les sensations d'imminence de l'éjaculation dans votre verge (votre amante cessera également ses mouvements).

Retirez votre verge de la moitié de sa longueur.

Contractez les muscles de votre périnée, c'est-à-dire ceux du fond du bassin : serrez les fesses, serrez l'anus, fermez la vessie (faites comme si vous vous reteniez d'uriner).

Centrez-vous sur votre respiration : inspirez profondément par le nez en remplissant d'air votre abdomen jusqu'au bas-ventre. Bloquez votre respiration glotte fermée pendant quelques secondes. Puis relâchez l'air brusquement, en expirant par la bouche.

Autres petites astuces : serrer les paupières, grincer des dents, presser la langue sur le palais.

Bien sûr, détournez votre attention de l'image excitante de votre aimée. Pensez à la surface lisse d'un lac tranquille.

Ne reprenez vos mouvements qu'après au moins cent secondes de pause.

À tout art, à toute poésie, il est une base technique.

QUE DEVIENT LE PLAISIR ?

Qu'en est-il du plaisir si l'éjaculation est prévenue et ne se produit pas ? L'orgasme séismique qui lui est naturellement associé n'éclate pas, mais l'homme, au moment de l'imminence, quand il maîtrise l'évolution vers l'orgasme, ressent ce que j'appelle un « pré-orgasme ». Certes, celui-ci est moins « explosif » que l'orgasme d'éjaculation, mais il pourra se répéter sans limite.

Les vrais pratiquants du tantrisme peuvent ressentir un véritable orgasme sans éjaculer. Ils réussissent à dissocier orgasme et éjaculation.

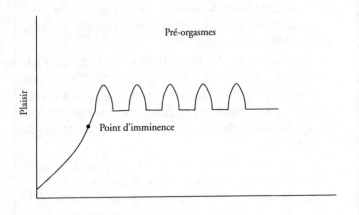

Succession de pré-orgasmes

LE TANTRISME

Dans l'art érotique tantrique, on sait depuis toujours faire cette dissociation. Pour cela, les trantrikas pratiquent « l'inversion érotique » ou « retournement du flux érotique », qui consiste à capter l'énergie sexuelle non explosée et à la faire passer du premier chakra, ou chakra de base, situé au centre du périnée, au septième chakra ou chakra supérieur, situé au sommet du crâne, en remontant un canal situé le long de la colonne vertébrale : le canal d'Amnios. Ils transforment ainsi l'énergie sexuelle en énergie spirituelle.

Bien sûr, pour acquérir cet art, il faut une longue initiation.

SUBTILITÉ ÉROTIQUE

L'orgasme avec éjaculation n'est pas totalement écarté. Chez les débutants, il peut être libéré tous les quatre ou cinq rapprochements sexuels, mais pas moins, sinon on entretient l'automatisme coït égale éjaculation. Chez les initiés, l'éjaculation se fera tous les vingt ou trente rapprochements.

La pénétration se fera sur des modes variés, en alternant la profondeur – tantôt au bord, tantôt au fond, le mieux étant six pénétrations superficielles pour une profonde – l'angle d'introduction – vers l'avant, vers l'arrière, vers les côtés – le tempo – plus ou moins rapide. Soyez créatif en modelant tous les paramètres, mais toujours à l'écoute de l'autre. C'est une œuvre d'art en cocréation.

Nota bene : n'oubliez pas les accompagnements sur les diverses touches du clavier érotique.

Mais n'en faites pas un exploit. Voyez comment les tantrikas allient ferveur et sobriété : ils sont en position de lotus, le lingam est engagé dans le yoni, les mouvements sont de faible amplitude, voire absents. Pour eux, l'union sexuelle a un sens spirituel qui en fait tout le prix.

AVANTAGES POUR LA FEMME

Ils sont majeurs car la caresse intérieure compense les dissymétries entre l'érotisme de la femme et celui de l'homme, dissymétries qui jouent en défaveur de la femme et aboutissent à son insatisfaction.

La première dissymétrie concerne le temps d'apparition de l'orgasme au cours du coït : court chez l'homme, de l'ordre de quelques minutes, beaucoup plus long chez la femme, de l'ordre de dix, vingt, trente minutes en début de carrière sexuelle. Ultérieurement, avec l'érotisation de leur vagin, les femmes peuvent obtenir un orgasme aussi rapidement que l'homme.

Le premier avantage majeur de la caresse intérieure, c'est d'offrir à la femme le temps nécessaire pour atteindre un degré d'excitation tellement jouissif qu'il va déclencher l'orgasme.

Rappelons que ce plus long délai chez la femme en début de vie érotique est dû :

- Au non-éveil de la sensibilité vaginale – la Belle au bois dormant
- Au volume plus important de leurs tissus érectiles, dont le « remplissage » demande plus de temps (mais qui est le gage d'une plus grande volupté).

Rappelons aussi que nous portons chacun l'histoire de l'humanité et que la connaître nous aide à comprendre notre destinée. La brièveté de survenue de l'éjaculation-orgasme chez l'homme est la conséquence d'une programmation génétique qui remonte à nos origines, c'est-à-dire à l'ancêtre que nous avons en commun avec les singes. Quand notre aïeul voulait copuler, il descendait de ses arbres dans une clairière où il ne pouvait demeurer que quelques secondes en raison des prédateurs qui rodaient ; la copulation devait donc se faire en vingt secondes, trente mouvements. C'est ce que nous pouvons imaginer en voyant agir les chimpanzés de nos jours. Car notre carte génétique est à 99 % semblable à celle des chimpanzés, le 1 % faisant l'homme. Si bien qu'en matière d'éjaculation nous avons la même programmation brève. En ce qui concerne la femme, sa relative difficulté à obtenir l'orgasme par coït remonte elle aussi à la préhistoire. Au regard de la nature, son plaisir n'était pas indispensable à la reproduction de l'espèce ; il aurait même mis la femelle « estourbie » en danger. L'orgasme féminin est un acquis récent lié à l'humanisation et à l'érotisation de notre espèce, quand celle-ci s'est faite *homo eroticus*, à vrai dire *homo sapiens sapiens*.

La seconde dissymétrie concerne la possibilité de renouveler l'orgasme : limitée chez l'homme, quasi illimitée chez la femme. Après l'orgasme, l'homme, je l'ai déjà décrit, passe par une phase réfractaire : son érection est détendue, son désir diminué, et il accuse une certaine fatigue teintée de mélancolie. Après une deuxième éjaculation, les effets négatifs s'accentuent, et plus encore après une troisième. Si bien que, le plus souvent, il se contente d'une seule éjaculation. La femme, elle, peut renouveler ses orgasmes un certain nombre de fois sans être fatiguée ; mieux : son désir ne baisse pas, son plaisir croît, ainsi que son intumescence.

Le second avantage majeur de la caresse intérieure c'est, en prolongeant la durée de l'union, de permettre à la femme de réaliser sa potentialité polyorgasmique. Le plus souvent, la femme est cependant comblée avec un seul bel élan orgasmique, éventuellement deux ou trois.

Au-delà de l'orgasme, la caresse intérieure va permettre à la femme de se situer dans une longue et belle jouissance, ce qui est le but de ce traité. En effet, les longs contacts entre pénis et vagin vont faire fleurir dans ce dernier de délicieuses sensations. Et ce n'est pas tant les mouvements de la verge, qui réjouissent la femme, que sa présence en elle, dans les phases d'immobilité ; elle peut alors déguster des sensations subtiles faites de douceur, de chaleur, de vibrations, de pulsations, de frémissements, de frétillements, de lancinements, de chuchotements.

Un dernier avantage, et non le moindre, que prodigue la caresse intérieure : c'est d'érotiser la paroi vaginale, d'éveiller cette Belle au bois dormant. C'est le meilleur moyen et le plus agréable… Prince charmant sera l'homme qui lui offrira ces longues promenades, pénis et vagin réunis, main dans la main, si je puis dire.

LES AVANTAGES POUR L'HOMME

Si l'homme perd l'intense mais brève explosion de plaisir orgasmique – encore qu'il soit libre de l'obtenir quand il le désire –, il conserve et agrandit les plaisirs habituels et il gagne de nouvelles voluptés :

- Le « pré-orgasme », comme j'appelle le plaisir qui survient au point d'imminence, à l'instant où l'homme prévient son réflexe éjaculatoire, est certes moins intense que l'orgasme d'éjaculation, mais il est renouvelable à l'infini.
- La volupté provenant des frottements du gland sur les parois vaginales est prolongée infiniment et exacerbée ; en effet, plus les frottements durent, et plus la sensibilité du gland est aiguisée.
- La volupté que procure la présence du pénis dans le vagin est amplifiée et bien conscientisée dans les phases d'immobilité (ou interludes), volupté faite de la chaleur du vagin, de son enveloppement, de son magnétisme. Et renforcée encore par les signes de connivence de l'aimée, qui s'amuse à contracter son muscle du bonheur – le pubo-coccygien – sur le pénis. Signes auxquels l'aimant répond par de petits redressements de sa verge. Ainsi, par la caresse intérieure, les sexes se parlent.
- La volupté que délivre la tension du pénis est majorée ici car le prolongement de l'union renforce l'intumescence jusqu'à un maximum. Cette impression de tension est à la fois agréable et valorisante narcissiquement, l'homme se sentant plus puissant.

Mais là où l'homme gagne le plus dans la pratique de la caresse intérieure, c'est dans la disparition de la phase réfractaire : son érection, au lieu de péricliter, se prolonge et même se renforce, son énergie, au lieu de s'épuiser, s'accroît et, surtout, son désir, au lieu de s'estomper, est stimulé et pérennisé. Cette persistance du désir dans les heures et les jours suivants est un vrai cadeau du ciel. Pour l'homme, ce désir est vécu comme un plaisir, et la persistance d'un appétit dans la verge est jubilatoire, car non subie. Quant à la femme, elle se réjouit d'avoir à ses côtés un homme toujours désirant, aimant, prévenant.

AUTRES AVANTAGES
DE LA CARESSE INTÉRIEURE

L'autre avantage est la multiplication des caresses : au cours de la caresse intérieure, et spécialement pendant les phases de suspension des mouvements, les mains sont libres pour distribuer des caresses tous azimuts ou sur une zone précise. Caresses brûlantes, caresses tendres, caresses admiratives. Caresses données par l'amoureuse ou par l'aimant.

On constate alors que la peau est devenue hypersensible : la peau du corps qui reçoit les caresses et la peau des mains qui les donne. C'est comme si tous les capteurs sensibles s'étaient hissés à la surface et ouverts à deux battants. C'est comme si on avait une nouvelle peau. C'est étonnant. Mais il y a plus : la peau est devenue magnétique ; la peau du corps attire les mains et les mains aspirent la peau du corps. Les deux peaux se plaquent l'une sur l'autre irrésistiblement et, à partir de ce point de contact, irradient en tous sens dans la chair des ondes de volupté, de bienêtre, de bonheur.

Sur les sites les plus érogènes on pourra, dans le cours de la caresse intérieure, jouer des accompagnements. Tout cela mettra votre amoureuse dans un tel état d'embrasement que, après vous être réjoui quelques instants de son bonheur et vous être félicité de vos propres dons, vous vous surprenez à vous rappeler le numéro de téléphone du Samu. Blague à part, l'état d'une femme en extase, pour l'homme, est confondant.

PARTIE XII

LE SENS DES SENS

PARTIE II

LE SENS DES SENS

LA CARESSE DE L'ÂME

Nous avons tous besoin de reconnaissance, de manifestations d'autrui qui nous valorisent et nous confortent dans notre propre estime ; car on ne peut vivre en plénitude sans amour de soi ; c'est pourquoi les aimants, en particulier, doivent avoir une attitude délibérément positive l'un envers l'autre, dire ce qu'ils aiment en l'autre, le complimenter quand il s'est bien comporté. C'est cela les caresses de l'âme, c'est cela qui permettra les caresses du corps.

Car les caresses physiques ne sont pas un job à part, elles font partie des échanges entre les aimants, elles supposent une bonne entente, elles sont l'expression de cette entente.

Le contraire de caresse de l'âme, c'est blessure de l'âme. Si on a dévalorisé, maltraité l'autre, il ne faut pas s'étonner qu'il refuse les caresses physiques. Pour qu'il les accepte et les prodigue à nouveau, il faudra se réconcilier. Si la blessure est mineure, on pourra se réconcilier sur l'oreiller ; si la blessure est plus grave, c'est avant l'orée des draps qu'il faudra se réaccorder. Les caresses de l'âme doivent précéder les caresses du corps. Les mots du jour préparent les chants de la nuit. On ne peut être tyran à midi et galant à minuit.

Et tandis que vous caressez votre aimé(e), continuez à lui dire combien vous l'appréciez, ce qu'elle a d'unique et comme vous êtes bien avec elle (ou lui). Les caresses de l'âme doivent aussi doubler les caresses du corps.

L'ANTIDOTE DU PORNO

Je voudrais que ce livre soit l'antidote de la pornographie ambiante et des ravages qu'elle a produits. Ici encore, l'Église a une lourde responsabilité : en raison de la répression qu'elle a exercée sur la sexualité pendant vingt siècles, lorsque nous nous sommes libérés de la notion de « péché de chair », nous sommes tombés dans le vide, faute de traditions érotiques et de sens sacré de l'activité sexuelle ; en vérité nous sommes tombés entre les pattes des pornocrates. Nous le payons très cher, principalement les adolescents.

La pornographie donne une image fausse et dégradante de la femme, qui est montrée comme un être obsédé par un désir permanent et insatiable, un être qui se dénude en quelques secondes, qui « jouit » en quelques minutes, qui aime être dominé, qui aime la brutalité, qui raffole de pratiques bizarres. Et qui ne mérite que mépris de la part de l'homme.

Quant à l'homme, il est un être en rut perpétuel, muni d'un pénis géant et toujours en érection, un être réduit à son organe, un être dénué de toute sensibilité, de toute sensualité, de toute affectivité. Un avatar de phallocrate qui ne domine plus que par la pénétrocratie.

Le résultat en est la chosification des êtres, qui ne sont plus que des objets d'assouvissement. Cette réification (du latin res, la chose) est un procédé mental qui permet de retirer aux êtres leur statut d'humain. C'est ce même procédé qu'utilisent les violeurs, les esclavagistes et les tyrans – nazis ou autres – pour commettre leurs actes odieux.

La conséquence en est la démythification de la sexualité, qui est dépouillée de son manteau de lumière, de son mystère, de son divin. Et le désabusement des gens quand l'extraordinaire est devenu ordinaire. Et leur recours à des formes de sexualité « hard » pour tenter de retrouver l'ivresse et l'extraordinaire. Mais leur désabusement est encore plus grand.

La dépression collective qui est la marque de notre temps, et que ne compensent pas les jeux du cirque, n'a pas seulement une origine économique, elle est le signe de la faillite du rêve érotique ; et aussi la faillite de l'amour dans sa version romantique, mais il s'agit là d'une autre histoire, qui est traitée dans d'autres livres (*L'Écologie de l'amour*, Éditions Flammarion et J'ai lu, *Le Guide des couples heureux*, Éditions Leduc.s Éditions).

Érotisme	Pornographie
Éros : **dieu de l'Amour**	**Porné :** **prostituée, esclave** Pornographie = écrit sur la prostitution

Érotisme	Pornographie
Esthétique	Non esthétique
Subtil	Grossier, bête
Émotions, sentiments	Absence
L'histoire d'une rencontre, le récit de deux êtres en désir qui se cherchent	L'assouvissement d'une pulsion
Un dialogue, un échange parlé	Absent ou débile
Des corps glorieux dans la majesté de leur désir	Des corps objets réduits à des morceaux, à des objets partiels, à des pénétrations mécaniques
Épanouissement de la vie intérieure, de l'humanité	Déshumanisation, morbidité
Recherche de sens : le sexe comme moyen de communiquer, de s'agrandir, de s'élever…	Absence de sens. Avilissement, consommation, excitation, incitation à la masturbation, seul l'orgasme est visé…

Y A-T-IL DES LIMITES AUX CARESSES ?

Y a-t-il des limites dans l'échange des corps ? Peut-on tout faire, tout accepter ?

On peut un jour être appelé à se poser cette question, les plus jeunes en particulier, qui n'ont pas acquis assez de discernement et qui subissent l'acharnement pornographique.

Au départ, il y a nos fantasmes, des images, voire des scénarios de pratiques sexuelles qui nous viennent spontanément ou qui nous sont soufflés par le porno. Faut-il concrétiser nos fantasmes ? L'ensemble des psychothérapeutes est d'avis qu'un fantasme ça naît dans la tête et ça doit y rester. En tout cas, en ce qui concerne les hards, c'est impératif : la concrétisation est décevante – la réalité est moins forte que la fiction –, alors nous allons forcer la dose et ainsi entrer dans une escalade (dont nous verrons les dangers) et dans la dépendance. Dans les zones de turbulences, le couple risque d'être en péril.

Parmi les pratiques sexuelles, certaines sont appelées « perversions », du latin *pervertere*, qui veut dire renverser. Dans le langage de l'Église était pervers tout « acte contre nature », c'est-à-dire qui n'aboutit pas à la procréation. Dans le langage commun, perversion est synonyme de dépravation. Pour les psychologues, « une perversion, c'est une déviation par rapport à l'acte sexuel normal défini par un coït visant à obtenir l'orgasme par pénétration vaginale avec une personne de sexe opposé… On dit qu'il y a perversion : quand l'orgasme est obtenu avec d'autres objets sexuels (homosexualité, pédophilie, bestialité, etc.) ou par d'autres zones corporelles (coït anal, par exemple) ; quand l'orgasme est subordonné de façon impérieuse à certaines conditions extrinsèques (fétichisme, transvestisme, voyeurisme, exhibitionnisme, sado-masochisme) », (Jean Laplanche et Jean-Baptiste Pontalis, *Vocabulaire de la psychanalyse*, Quadrige/ Presses universitaires de France). Ainsi, toute pratique sexuelle différente du coït entre une femme et un homme en position du missionnaire serait une perversion !

Depuis la récente libération des mœurs, la plus grande partie de notre activité sexuelle est donc faites de « perversions » qu'on a normalisées (seuls restent exclus de façon rédhibitoire les modes extrêmes : la pédophilie, le sadisme sanglant et la zoophilie). Mais « normalisées » ne veut pas dire que leur pratique ne pose aucun problème de conscience. Au contraire, beaucoup de gens sont désorientés, les adolescents en particulier, comme le montre un échantillon des questions qu'ils me posent le plus souvent :

« Faut-il accomplir tous ses désirs sexuels, ou y a-t-il une limite ? » ; « Y a-t-il des pratiques sexuelles qui sont dégradantes ? » ; « Doit-on se forcer à faire quelque chose qu'on n'aime pas ? » ; « Faire une fellation rabaisse-t-il la femme ? » ; « Pourquoi diaboliser l'éjaculation faciale ? » ; « Qu'y a-t-il de mal à la sodomie ? Un trou c'est un trou ! » ; « La sodomie est-elle un vice ? » ; « La sodomie est-elle une forme d'amour ou bien une forme de domination ? » ; « Ton amoureux te demande de faire l'amour à trois, comment doit-on le comprendre ? » ; « Est-ce de l'amour que de céder aux demandes sadiques de son copain ? » ; « Qu'est-ce que vous pensez de la zoophilie ? » : questions posées par des adolescents de classes de terminale.

Ce sont les filles et les femmes qui sont le plus « perdues ». Elles n'osent pas refuser certains actes pour ne pas passer pour quelqu'un de « coincé » ou par peur de perdre le garçon ou l'homme. Ce qui est le plus souvent imposé aux filles et aux femmes, c'est la fellation avec éjaculation dans la bouche ou sur le visage, la sodomie, la sexualité plurielle.

TROUVER SES REPÈRES
CONNAÎTRE SES LIMITES

Il faut savoir, en ce qui concerne certaines pratiques sexuelles, que de franchir le pas sans discernement met en danger la plupart des êtres quant à leur équilibre mental. Le premier danger est de perturber l'idée que l'on se fait de soi, et donc l'estime de soi, et de se vivre comme un salaud, une pute, un trou. Le second est d'être déstabilisé, désorienté et alors d'être sujet à des angoisses, à des idées délirantes, à des comportements d'auto-destruction (ne plus prendre soin de soi, prendre des risques mettant sa santé, voire sa vie en jeu : drogues, conduites suicidaires, etc.).

Comment connaître ses limites et s'arrêter à temps ? Il faut se demander : est-ce que je force quelque chose en moi ? Est-ce que je force quelque chose en l'autre ? Est-ce que je me respecte ? Est-ce que je respecte l'autre ? Est-ce qu'on me considère comme un sujet ou un objet ? Est-ce que je prends l'autre pour un sujet ou un objet ? Si on a conscience de dépasser ses limites, il faut s'arrêter. Sur le coup, on aura une impression de frustration ; mais nos frustrations nous permettent de nous structurer, de rester dans l'humain. C'est de nous retenir qui nous humanise, nous civilise. Vivre toutes ses pulsions nous amène à sortir de l'humanité.

L'homme naît insensé, toute l'humanisation a consisté à lui donner un sens. Le franchissement de certaines limites peut provoquer un retour à l'insensé des origines.

DISCERNER – REFUSER

Il faut savoir refuser une éjaculation dans la bouche (demander à l'homme s'il a déjà goûté son sperme), une sodomie (demander à l'homme si on lui a déjà pénétré l'anus). D'une façon générale, ce n'est pas parce qu'on dispose de préservatifs ou de pilules contraceptives que l'on est toujours disponible, voire obligé de faire l'amour. Ce qui est présenté comme une preuve de liberté ne doit pas devenir une contrainte.

Enfin, il faut savoir que certaines pratiques peuvent entraîner des troubles corporels soit par effet direct – et je ne parle pas seulement des infections sexuellement transmissibles –, soit par effet psychosomatique. La sodomie trop répétée, par exemple, peut entraîner des lésions de l'anus très handicapantes.

LE SENS DES SENS

Chercher à donner un sens à un acte, c'est chercher à connaître sa signification, sa raison d'être. D'avoir trouvé le sens permet de l'accomplir en pleine conscience, de le perfectionner, d'en tirer les meilleurs bénéfices. Autrement dit, donner un sens nous situe dans l'humain. En matière de sexualité, donner un sens nous fait passer de « tirer un coup » à l'érotisme, du prêt-à-porter à la haute couture.

Plus brutalement, la question est : à quoi ça sert de faire l'amour, de faire des caresses ? Ça sert à :

- Se reproduire
- Se donner du plaisir, nous en avons longuement parlé
- Établir une relation avec un autre humain ; c'est tellement vrai qu'on appelle l'acte sexuel une **relation** sexuelle. C'est la plus intime et la plus intense des relations et, comme telle, elle comble l'humain, qui est foncièrement un être social, c'est-à-dire porté vers l'autre, mais un être trop exposé à la solitude à la suite de multiples séparations : d'avec le ventre de sa mère, d'avec le sein de celle-ci, d'avec ses amours successifs. Ainsi l'humain, condamné à d'insoutenables déchirures, traverse sa vie le flanc ouvert, en cherchant, à travers l'acte sexuel et les caresses, à recouvrir sa plaie par la chair d'un(e) aimant(e).

Pour faire de la relation sexuelle la plus belle des relations, il faut en avoir une haute idée et en faire un moyen de communiquer avec un autre qui est un sujet, et non un objet. De fait, la relation sexuelle est une façon non verbale de dire à l'autre notre affection, notre amour, de le chérir, de l'apaiser, de le protéger, de le sécuriser, de le consoler. Et qui s'adresse à un autre qui est sujet, comme nous, un autre soi-même qui a une sensibilité, des rêves, des espoirs, des idéaux, des peurs, des blessures, un **cœur** et une **âme**.

PEUT-ON ALLER PLUS LOIN ?

Peut-on aller plus loin dans la recherche de sens ? Il ne faut pas être versé dans l'ésotérisme pour percevoir que la rencontre des corps nous procure un état supérieur de conscience, que la jouissance ou l'orgasme nous offrent plus qu'un plaisir intense : une sorte d'extase (du grec *ektosis* : sortir de soi, prendre son envol), une expérience psychique qui nous fait dépasser notre *ego*, notre petit moi, qui enrichit notre conscience, l'élargit, l'élève.

Cet état psychique supérieur est une donnée immédiate de la conscience offerte aux routiers aussi bien qu'aux maîtres de la Sorbonne. Il suffit d'en être averti et d'accueillir. Hélas, en Occident, la chair était péché. D'autres activités nous permettaient heureusement d'y accéder : la méditation, la contemplation mystique, le ravissement par la beauté (un coucher de soleil, un concerto de Schubert).

Si on est scientifique et réducteur, on dira que les états supérieurs de conscience ne sont que les effets des neuro-hormones. Mais ce serait dire que les cordes de la guitare sont la musique.

Peut-on aller plus loin encore ? Et faire de l'état de conscience que procure la rencontre sexuelle un moyen de transcender (du latin *transcendere* : s'élever à travers) notre condition humaine ? D'atteindre des plans de conscience différents du plan ordinaire, des plans où, au-delà du corps, nous constaterions l'essence de notre être, des plans où nous découvririons des « réalités », des « vérités » supérieures, voire des divinités ?

Ce qui est sûr, c'est que le besoin de spiritualité est fondamental, comme le montre la pyramide de Maslow, une fois satisfaits les besoins physiologiques et psychiques. À la fine pointe de la conscience qu'on peut appeler « l'âme », l'être cherche au-delà de lui ce qui peut donner un but, une cohérence et un sens à son existence, lui donner le sentiment d'appartenance à l'univers et d'avoir une juste place dans l'ordre cosmique.

Notre culture est bien loin d'avoir placé l'amour sexuel au rang des expériences spirituelles. Pourtant l'accès au sacré passe par une coïncidence parfaite entre le corps et l'esprit.

Puisse ce livre vous aider à faire les noces du « bas » et du « haut ». Et vous faire entendre que la volupté même est plus grande, jusqu'à être infinie, quand elle est associée à la beauté et inspirée par l'amour.

Remerciements

À ma précieuse collaboratrice Catherine Giraud.

Table des matières

PARTIE IV

LES BUTS DES CARESSES

PARTIE V

L'ART DE LA CARESSE

PARTIE VI

LA GÉOGRAPHIE ÉROTIQUE.
PREMIÈRES LEÇONS

PARTIE VII

LA FACE ANTÉRIEURE DU CORPS

PARTIE VIII

LA FACE POSTÉRIEURE DU CORPS

PARTIE IX

LE SEXE DE LA FEMME

PARTIE X

LE SEXE DE L'HOMME

PARTIE XI

LA CARESSE INTÉRIEURE OU LA SUBLIME CARESSE

PARTIE XII
LE SENS DES SENS

10863

Composition
NORD COMPO

Achevé d'imprimer en Slovaquie
par NOVOPRINT
le 9 mars 2021.

Dépôt légal septembre 2014
EAN 9782290093641
OTP L21EPBN000330A005

ÉDITIONS J'AI LU
87, quai Panhard-et-Levassor, 75013 Paris
Diffusion France et étranger : Flammarion